# 自自公を批判する

政教分離原論

白川勝彦
自民党代議士

花伝社

目次

◆

# 少し長めの序文——この本の生い立ちと内容

## この本はインターネットから生まれた

このたび『自自公を批判する』というこの本を緊急に出版することにしました。私がこのことを思い付いたのが二月二日の深夜でした。そして、この本が出来上がる予定が二月二三日です。私はこれまでに四冊の本を出版しました。その経験からいえば恐ろしいスピードです。こんなことを可能にしたのが、コンピューターの発達であることは論をまちません。私は郵政族の一員といわれる政治家の一人ですが、世の中のコンピューター化に郵政行政を通じて関りあってきたことに、今回のことを通していささかの満足を新たにしました。

しかし、この本がこんなに早くできた理由はもうひとつあります。それは、この本の七割近くが平成一一年一二月一日に開設した私のＷｅｂサイト（日本では、普通ホームページといわれることが多いのですが……。ただ、世界的には、Ｗｅｂサイトといいますので、以下、そう呼びます。）にあるものを活字化したからです。私のＷｅｂサイトに掲載されているものは、すでに電子化されています。これをコンピューター上で切ったり貼ったり変更すれば、それが直ちに印刷可能な状態になります。そうでなければ、いくらなんでもこんなに早く本にはなりません。

本当はもっと早くすることもできたのですが、この本の出版にあたってどうしても新しく書き下さなければならない部分があったので（例えば、この序文など）、四日間余計にかかってしまいました。便利な世の中となったものです。この本は、全部が全部、私が書き下ろしたものではありません。しかし、私が全責任をもつ私の著作であります。

私のＷｅｂサイトの開設の日の「永田町徒然草Ｎｏ１」（二一三頁参照）で書いたように、私は「自自公問題」について一冊の本を出版しようと考えました。このような考えを持ち始めたころ、インターネットを始めつつあった栗本慎一郎代議士（栗本代議士のホームページ・アドレスは、www.homopants.com）と懇談する機会がありました。栗本代議士にそんな話をしたところ、

「白川さん。それならば、Ｗｅｂサイトを開設すればよい」

とのアドバイスを受けました。これが私のインターネットとの出会いとなりました。

私は仕事柄インターネットについて多少の知識と理解を持っていました。しかし、パソコンを使って他人のＷｅｂサイトを見たこともなければ、その操作も全くできない私でした。かてて加えて、私はワープロも打てません。もちろん、私の秘書たちはワープロやパソコンを駆使して仕事をしていますし、秘書たちにそうした仕事を私はどんどん頼みますが、私自身はワープロを打ったりパソコンを操作する気は全くありませんでした。そういうことは私には無理だと思い込んできました。

私は、よくこんな冗談をいってこのことを敬遠してきました。

「私たちの時代は、ピアノもオルガンも持たせてもらえなかった。だから、手先は不器用なんです。私にはワープロやコンピューターを打つなんて無理なんです」

そんな私ではありましたが、一一月中旬ころＷｅｂサイトを開くことを決めました。もともと一冊の本を書くつもりでしたから、他の政治家のＷｅｂサイトにくらべるとマメに更新してきたほうだと思います。その時々で書いたものがこの二カ月で相当たまっていましたから一冊の本にすることができたのだと思います。

しかし、一冊の本を書き下ろすのとは明らかに違いますから、多少の重複や論理展開の不十分さは免れえません。完璧主義者の私には、内心忸怩（じくじ）たるものは禁じえません。しかし、現下の情勢は、**too early, too better**（早ければ早いほどよい）であることは賢明な読者諸氏は理解していただけると思います。そう考えて、一つのＷｅｂサイトを一冊の本にするということを試みることにしました。他国の事情は知る由もありませんが、わが国ではまだこうした例は少ないのではないかと思います。

## Ｗｅｂサイトの開設

私自身がインターネットを始めてみて、また必要に迫られてＷｅｂサイトを開設してみて痛感することは、「永田町徒然草ＮＯ18」（二三〇頁参照）で書いたことです。

「自自公問題に関心のある方は、必ずしもインターネットに強くない。インターネットに強い人は、必ずしも自自公問題に関心がない」

私のＷｅｂサイトは、政治家のＷｅｂサイトとしては異常といわれるくらいアクセスがあります。また、専門家の世界でアクセス数以上に重視されるヒット数は、日に一万数千件を数えます。その意味では私のＷｅｂサイトはとりあえず大成功だったといえます。しかし、私が戦っている相手は自自公という巨大な現象であり、これを一日も早く解消するという課題からみれば、こんなことで満足している訳にはゆきません。

インターネットというツールで伝えることができない人々には、別の手段で私の考えを伝えるしかありません。そこで思いついたのが、Ｗｅｂサイトを活字化して本にしようという考えでした。このような本を通じてインターネットというものの雰囲気をつかんでもらい、インターネットに少しでも興味をもっていただき、そしてできれば直接に私のＷｅｂサイトにアクセスしてもらえれば幸いであると考えました。なぜならば、私のインターネット上の戦いは現在も続いておりますし、今後も続いてゆくからです。したがって一冊の本としての一貫性・なめらかさが多少犠牲になることも耐え忍ぶことにしました。読者諸氏にも、このことをご理解していただきたいと思います。

その代り、この本には読者と共に同時進行で作られたという面白さがあるはずです。その代表はもちろん、Ｖ章の「書込交流広場」からの抜粋です。私は、あまり深く考えないで「書込交流広場」の前身「書込交流ＢＢＳ」を設けることに賛成しました。しかし、専門家にいわせるとこれはたいへん怖いことなんだそうです。一時的にではありますが、現にそういう場面もありました。「書込交流ＢＢＳ」への書込は、開設から七〇日間で三七〇件ありました。私が書き込んだのが六〇件です。私のＷｅｂサイトのなかでいちばんヒット数の多いのが、この「書込交流広場」＝「書込交流ＢＢＳ」です。

また、平成一二年一月一八日に俵孝太郎氏が代表発起人となって開催された「政教分離を貫く白川勝彦氏を激励する会」における俵孝太郎氏の講演録「正邪曲直、自ずから分明」などは、ＢＢＳを通じて瀬戸大雄さんからのリクエストがなかったならば作ることもなかったと思いますし、Ｗｅｂサイトに掲載されることもなかったと思います。ここで電子化されていなかったら、緊急に出版するこの本に載せることなどとうてい不可能だったと思います。書込みの数や内容が、情報の発信者である私の気持や内容に影響を与えることは否めません。「永田町徒然草」の論調や「政治論としての自自公連立批判」の内容は、こうしてできあがりました。ここが一般の本と違うところかも知れません。

## 「特打ソフト」で特訓

私のＷｅｂサイトを作成し、その運営を手伝ってくれている人——Ｗｅｂマスターといいます——が、私のＷｅｂサイトを手伝うに際してつけた条件がたったひとつありました。それは私がタイプを打つことでした。先に述べたような理由でそれは難しいと答えたところ、それならば引き受けられないというのです。ずいぶんと堅苦しいことをいう人だなあと、最初は思いました。

私には秘書がたくさんいるし、皆タイプが打てるのだからそれで用は足りるのだから、何も私自身が打てなくてもよいではないかというんですが頑として受けつけないのです。私としては、Ｗｅｂサイトをどうしても立ち上げたかったしその必要性もありましたので、不承不承タイプを始めることを約束しました。不承不承とはいえ男同士の約束ですから、栗本慎一郎代議士からもらったノート型パソコンに「特打ソフト」を入れかなり真剣に練習しました。最初のうちは、一～二時間もやると肩がバンバンに張りました。しかし、生まれて初めてタイプを打つという楽しさもあり、一週間もするとそれほど肩は凝らなくなりました。

一昨年の夏、五〇歳という若さで大腸ガンで亡くなった私の政策秘書田口正比古君はタイピングの名手でした。私は、ご存知の方も多いと思いますが、党内や国会内でいろんな仕掛けや活動をしてきました。そんな関係でいろいろな文書を急いで作らなければならないときが多々とあります。

「田口君、これ、特に急ぐからプロに頼んで早く作ってくれ」

というと、

「私、プロより早いですよ」

といってよく夜を徹して打ってくれたものです。

彼が健在のころ、私はワープロなど全くやる気はありませんでしたし、彼も私にやったほうがいいなどということはひと言もいいませんでした。しかし、タイピングを始めると何かのとき田口君が、

「ワープロは、絶対にローマ字入力で覚えないとダメなんです。また、ブラインドタッチを覚えないと絶対に早くならないんです」

といったことが妙に鮮明に思い出されてくるのです。

私は、田口君の遺言と思い、ブラインドタッチ（キーボードを見ないでタイプを打つこと）だけは頑なに守りました。そうすると自然に早く打てるようになりました。もっとも私の事務所の若い秘書にはとてもかないませんが、こんなものは所詮慣れだと思って開き直って自信をもってやっております。

## 五〇の手習いのタイピング

Ｗｅｂサイトを立ち上げたのが、平成一一年の一二月一日でした。それから一カ月くらいして、Ｗｅｂマスターがなぜタイピングを私自身がしなければならないといったのか、ようやく理解できるようになりました。

まず電子メールソフトを立ち上げるとメールが結構入ってきます。これは私に対する手紙みたいなものですから、できればちゃんと返事を書かなければならないと思います。もちろん、原稿を書いて秘書に打たせても相手にはほとんど判らないとは思います。しかし、なかにはメールの内容も私の返信も、秘書に見せられないものもあります。こういうものは自分で打たなければメールのやりとりができません。もっと大きなことは、メールをみてそのとき感じたことをそのまま短くてもよいから返信するということが大切だということです。

こんなことがありました。平成一二年一月二二日午前二時〇〇分、私は私が所属する政策集団宏池会の会長である加藤紘一代議士にメールを送りました。翌朝目を醒まして、すでに習慣となっているメールボックスをあけました。朝の七時ころでした。そうしたら加藤代議士からの返信のメールが入っていました。よくみるとそのメールの発信の時刻は、一月二二日午前二時四五分ではありませんか。この日、加藤代議士も夜ふかしをしていたんだと思いました。また私のメールをみて、すぐ返信してくれたのだと思うといささかの感激でした。私は、いままでとは違う親しみを加藤代議士に改めておぼえました。

もうひとつ、ＷｅｂサイトにＢＢＳ（Bulletin Board System——掲示板。詳しくは二七六頁参照）を設ける場合、タイピングできることが絶対に不可欠だということです。書込まれたメッセージをプリントアウトとしておいて、それにコメントを書いて秘書に打たせて書込めば同じではないかと思っていましたが、これもやはりメールと同じで私自身が直接やった方がはるかに気持が伝わります。ＢＢＳをみている人には判かるんです。

タイプを打つということは、私にとっては五〇の手習いでした。まだ必要な範囲の最低限のレベルではありますが、何とか打てるようになって感じますことは、

「俺だって、まだまだ、結構やれるじゃないか」

という自信です。ほかのことでも、まだまだ挑戦してやればやれるのではないかという気持が

強くなりました。これは大きな財産だと思います。

「西暦二〇〇〇年　新時代 始めましょう」

今年の私のメッセージであり、スローガンです。これは私のこのような経験のなかから生まれてきたものです。

ご同輩、やればやれるものですよ。

## 不気味な感じさえする言論界の真空

わが小渕首相の「真空」はいまや有名となりました。ご本人は開き直って、ご満悦でさえあるようです。そうはいっても、これはやはり問題なのでしょう。この点については、本書に収録した加藤紘一宏池会会長のインタビューでのべられているのであえて触れません。私も全く同意見です。

私が不気味に感じるのは、言論の世界における自自公に対する「真空」ぶりです。数多い政治学者・政治評論家のなかで、自自公連立の政治的問題で論陣を張っているのは俵孝太郎氏くらいのものです。タブーなきマスコミ界であるのに、創価学会＝公明党のことだけは別のようです。本当に問題がないのならば、私はこんなことをいうつもりはありません。しかし、「自自公連立の政治論的批判」で述べるように、自自公にはあまりにも問題が多すぎます。国民も、これだけ強い拒否感をもっています。それにはそれなりの理由があるからです。自自公連立を肯定する立場であれ批判する立場であれいずれにせよもっと論評はなければならないと思います。私は不気味ささえ感じます。

なぜ、このような腑甲斐ない状況なのか。これを論ずると一冊の本となるでしょう。私にはその問題点を体系的に書くだけの能力もなければ時間もありません。これは他の専門の方に譲ることにします。

それにしても、健全な批判精神というものが急になくなりはじめていることだけは随所で感じます。その筆頭が創価学会＝公明党問題であり、政教分離問題であり、自自公問題の三点セットです。これは互いにリンクしています。しかし、国民の六〜七割が自自公連立政権をよくないと思い、拒否反応や嫌悪感をもっている以上、この問題をタブーとして避けることは言論の府といわれている国会やジャーナリズムの世界では許されないことと思います。いずれ、歴史が審判するでしょう。

創価学会＝公明党は、巨大な自前の宣伝ツールを持っています。『聖教新聞』、『公明新聞』、『創価新報』、『潮』、『第三文明』などなど。新聞を一日を一部と数えると月に二〜三億部になるでしょう。私も光栄にもここで取り上げられ、「白川勝彦」という名前だけは相当に宣伝してもらいました。創価学会や公明党は、Ｗｅｂサイトを開いています。昨日もちょっとアクセスしてみましたが、政治評論家俵孝太郎氏や私のことを例の調子で盛んに攻撃していました。

創価学会＝公明党のあのお化けのように大きな宣伝体制を量において凌駕することは誰もできませんが、インターネットの世界は全く違います。創価学会や公明党のＷｅｂサイトも、私のＷｅｂサイトも、条件はまったく対等です。量ではなく質の勝負ができるのです。面白いですよね。だから、私は、創価学会＝公明党の主張も私のＷｅｂサイトのビジターにみてもらおうと思い、創価学会と公明党のＷｅｂサイトをリンク集に掲げております。創価学会や公明党のＷｅｂサイトには、いまのところ（平成一二年二月五日現在）私のＷｅｂサイトはリンクされていません。

二〇万円足らずの小さなパソコンで、あの巨大な組織とまったく対等の勝負ができるのですから、インターネットってすごいと思います。

## わが闘争――第二ラウンドの開始

創価学会＝公明党と私の戦いは、私にとっては第二ラウンドです。第一ラウンドは、もちろん平成六～八年までの戦いです。この時は亀井静香代議士が総大将でした。今回の戦いに彼はいません。なぜだか知りませんが、別に前非を悔い改めたという話は聞いておりません。私は自由主義者ですから、彼がいかなる理由でどういう態度をとろうが、それは彼自身の自由であり干渉するつもりはありません。ただ自由主義者である以上、その責任は負わなければならないということです。この第一ラウンドについては、Ⅲ章の「『憲法二十条を考える会』の結成と顛末」で触れておきました。

今回の戦いの火ぶたは、平成一一年八月八日テレビ朝日の「サンデープロジェクト」における田原総一郎氏と平沢勝栄代議士・小林興起代議士と私の三人の討論から始まりました。例によって翌日から私の事務所の電話は鳴りっ放しでした。しかし、今回は相当の割合で、

「よくいってくれた。がんばってください」

というのがあったのが以前との大きな違いでした。

しかし、私はかなり以前から創価学会＝公明党との第二ラウンドの戦いは避けえないと思っていました。以下に引用する記事は、月刊『政界』の平成一一年七月号に掲載された大下英治氏の連載「同時進行ドキュメント『自民党総裁選に動き始めた加藤紘一の決断』」からの抜粋です。私に対する取材は、五月二〇日に行われました。大下氏が実に要領よくまとめて記事にしてくれました。自自公問題が最大の争点となった自民党総裁選の見通しなどを五月の時点で私は予測し、事実上の宣戦布告をしています。政治は、局面ごとの勝負であると同時に、ロングレンジの戦いでもあります。その辺を理解していただくためにも、少し長くなりますが引用させてもらいます。

# 自民党総裁選に動き始めた加藤紘一の決断

大下英治

〈前略〉

## 加藤立つべし

自民党団体総局長で加藤派の白川勝彦は、それでも加藤は出馬すべきだと考えている。加藤派のなかにある小渕派との連携を重視し、出馬を見送るべきだという意見については、総裁選をやる気がない人の意見でしかないと憤る。

「総裁選というのは、そんなものではない。総裁選は、議論をするために二年に一度おこなわれる。議論をすれば党内がもめるから、総裁選はしないほうがいい、党のためにもならないというのならば、極端にいえば、国会だって国家のためにならないということにもなる。民主主義をどう考えているのか、首をかしげざるをえない。一番大事なのは、天下国家のために総理総裁は、なにをするかということだ。加藤会長は、どういうものの考え方をして、どのように日本を引っ張っていきたいのかを明快にしていかないと、加藤政治は生まれてこない。総裁選は、一人の政治家が、自民党をどのような方向の政党にするのか、日本をどのように引っ張っていくかという命がけの戦いをおこなう場だ。だからこそ、党員も、国民も、真剣に見ている。小渕首相の方針で本当にいいのか、と思っている人は多い。小渕内閣の支持が上がっているからそれでいい、加藤さんは出ないでほしい、などと馬鹿なことをいうべきではない。心ある国民や党員は、赤字国債を大量に発行し、こんなに次から次へと借金を作っていていいのか、とみんな思っている」

白川は、加藤派の圧倒的多数は加藤立つべし、という意見だと思っている。

「だからこそ、われわれは加藤さんを宏池会の会長にしたのだ。優勢かどうかは、人さまが決めるものだ。まず立たなければ、人は応援できない。政治家には、勝敗は時の運という気持ちがなければいけない。小渕再選がはじめから決まっているわけではない。総裁選まで、まだ四カ月もある。それまでの間に政策の準備をしておく。チャンスは、この九月しかない。九月にそなえてみんなが一所懸命勝負をかけるというのは、当たり前のことではないだろうか」

### 議論がない政党、議論がない国は滅びる

小渕派が、総裁選をおこなわず、無投票で小渕再選を狙っていると伝えられていることについて異論を唱える。

「将棋の世界では、名人戦を勝ち抜いてはじめて名人という勲章が与えられる。名人戦を経ずして名人になることはできない。今回だけは名人戦をなくしてくれないか、というのでは

本当の名人とはいえない。さわやかな総裁選はありえない、ともいわれるが、さわやかな総裁選をいつでもできる自民党でなければ国民政党とはいえない。さわやかな総裁選を堂々と展開し、名人を決めていく。いったん名人が決まれば、そのもとで一致結束するのが自民党だ。政権を担当させてもらっている自民党は、いつでもさわやかな総裁選をおこない、自民党のありかた、国家のありかたを議論していく。議論がない政党、議論がない国は滅びてしまう」

白川は、議論つまりディスカッションの意味をあらためて考えるべきだという。

「ディスカッション（discussion）という言葉は、日本人ならだれでも知っている。が、ディスカスという言葉の意味は何か。〝ディス（dis）〟とは、〝否定〟、〝カス（cuss）〟とは、〝呪う〟〝恨む〟という意味だ。つまり、ディスカッションというのは、どんなに激しく議論をしても呪いや恨みを残さないという意味だ。それゆえ、『爽やかな総裁選ができない』という人は、『ディスカッションができない政治家』と天下にいっているようなものだ。ディスカッションができない政治家は、自由な社会の政治家ではない」

さらに、総裁選により路線をしっかり確立しなければ、総選挙も戦えないという。

「一年半以内に、かならず総選挙がある。そのとき、どういう態勢でいくのか、他党との関係はどうするのかをはっきりとさせ、自民党はこういう方針でいく、ということを明快にしなければならない。それがなければ、総選挙も戦えない。このままズルズルと選挙に入れば、自民党はまちがいなく敗北する。いまのような、その日暮らし、あるいは、ご都合主義でいけば過半数を割る。前回の総選挙では、自民党は単独過半数をとらないといけないという候補者一人ひとりの断固たる戦う意思に国民が共感し、支えてくれた。それでも、二三九議席と過半数には届かなかった。いま自民党自身に、単独で過半数を取らせてほしいという覇気がない。ただ、勝たせてくれ、というだけだ。国民も、『衆議院で勝っても、参議院は過半数がない。どうせ自公でやるんだから単独過半数などなくてもいいではないか』という雰囲気がある。解散・総選挙の時期は、そう遠くないという前提があるのに、前回の総選挙を迎えるときの盛り上がった気迫が、いま党内にない」

## 最大のテーマは党の路線問題

白川勝彦は、今秋の総裁選の最大のテーマに、自民党の路線問題も浮上してくると考えている。

「総裁選は、自民党をどうするのか、日本をどうするのか、ということもふくめて議論することになる。小渕総裁の自自公路線が、本当に自民党のためにいいのか、日本のためにいいのかを議論することになる。党員も、大きな関心を寄せている。そのことが論じられなければば、総裁選の価値はない。経済政策の問題も大事だ。が、連立の問題・党の路線問題は、わが党の命運を決するかなり重要なテーマの一つだ」

マスコミは、近い将来、自自連立に公明党をくわえた自自公連立体制になると報じている。しかし、白川は、自公連立がどのような意味をもつのか、党内で真剣に議論しなければいけないと考えている。

「自公連立の話し合いのなかには、かならず選挙制度の改革、つまり中選挙区復活という問題が出てくる。このことを抜きにして、公明党が自民党と政権協議をすることはありえない。仮に自民党執行部が、『できる、できないは別として、検討してみます』と答えたとすればどうなるか。そのとたんに三〇〇選挙区において、自民党候補者の後援会もしくは選挙基盤は大変な影響を受ける。そのことをだれも気づいていない」

白川は、説明する。

「中選挙区時代は、複数の自民党候補が激しくぶつかってきた。それぞれの後援会も敵対した。が、小選挙区となり、当選者は一選挙区に一人となった。候補者は、それまでライバルであった候補の後援会を束ね、複数の後援会の合体のなかで戦っている。ライバル候補の後援会も、たった一人となった自民党候補を応援するため、いわばルビコンの橋を渡るような思いで一つにまとまった。それなのに、『中選挙区復活もありえる』という話が出てきたらどうなるのか。必死の思いでまとまったのに、『かつての候補者の後援会としてまとまらないといけないのか』という疑心暗鬼が生まれてくる。われわれは、小選挙区導入以来いろいろな障害を乗り越えて、小選挙区での選挙を戦える政党になろうと懸命にがんばってきた。それが、『中選挙区復活』という雰囲気をにおわせたり、ほのめかしたとたんに、それぞれの選挙基盤に大きな活断層が生じ、総体的に自民党の力が弱まってくるのは明らかだ。そのような状態で、自民党は選挙を戦えるのか」

## そんなに気をつかわなければならない連立のパートナーとは

白川は、公明党に妙な遠慮をすることはないという。

「自公になれば、そのぶん創価学会が自民党候補を応援してくれる、という意見もある。しかし、これも疑問だ。公明党の支持母体である創価学会は、候補者の支援は〝人物本意〟だとしている。つまり、自民党候補を応援する選挙区もあるが、民主党候補を応援する選挙区もあるということだ。これは、おかしな話だ。ある選挙区では、野党を一所懸命応援する政党を、なぜ連立のパートナーといえるのか。が、そう思っていても正面切って意見をいえない。批判すれば、創価学会は対立候補を応援するのではないか、と臆病になっているのだ。そんなに気を使わないといけない連立政権のパートナーは、いるのだろうか。連立政権のパートナーというのは、政権運営でも選挙でも苦労を分かちあうものだ。それに自民党支持者のなかには創価学会にアレルギーを持つ人も多い。『公明党と連立を組むなら、いままでのように自民党の候補者のために力を出しません』という人も出てくるだろう。先の都知事選でも、公明党が推し、自民党が推薦した明石康候補が惨敗したではないか。それとおなじような現象が随所におきてくると思う」

## 国会対策上の自自公路線では安直すぎる

白川は、国会対策のことだけを考えて進めようとしている自自公路線は安直すぎるのではないかと考える。

「国会対策上、小渕首相のためにはいいことかもしれない。が、自民党は小渕首相のためにあるわけではない。自民党は、参議院では過半数はない。が、いずれは過半数を取る政党になろうとみな必死になってがんばっている。単に数が足りないので公明党と組むというのでは、逆に過半数を取るための基盤を壊しているようなものだ。いまの状況では、楽かもしれない。が、その劇薬を飲むことによって、体力が弱り、自民党は二度と立ち上がれなくなる。そのことを考えないといけない。

小渕首相は、どのような長期的な展望を考えているのか。自自連立は、幹事長会議など時間をかけて決めた。自公連立は、それ以上に時間をかけて議論しなければいけない問題だ」

その意味でも、今秋の総裁選の最大のテーマに、自民党の路線問題も浮上してくると考えている。小渕の「自自公路線」に対し、加藤は「自公路線」を否定して戦うのか。

森喜朗幹事長が、早々と小渕再選支持を言明したことについても、白川は首をかしげる。

「自民党には、形式上の選挙管理委員会がある。が、実際に総裁選を取り仕切る要は、幹事長だ。その幹事長として総裁選は党のためにならない、といったとすれば、その見識を疑わざるをえない。森派の会長としての森さんが誰を推すかなどということは、総裁選がはじまってからいえばよいことだ。森幹事長が出馬しないと表明してから、森幹事長の存在は急速に薄れつつある」

現在のところ小渕派、森派、村上・亀井派が小渕再選支持を表明し、小渕有利と伝えられている。が、白川は、この状況のまま総裁選に突入するとは思っていない。

「小渕内閣の支持率は上がっているが、このまま維持できるかどうかが、まず大きなポイントだ。新聞記者の話では、サミットの開催場所を沖縄に決めたことが好感をよんでいるという。むろん、野党のふがいなさも支持を集めている理由のひとつだ。

しかし、内閣支持率などというものは、いつどう変わるか何ともいえない」

総選挙に向けて、候補者はみな小渕の人気はどの程度のものなのか、冷静に考えているという。

「選挙用のポスターにしても、小渕さんと自分の顔がいっしょにならぶ写真で選挙ができるかと考えている。前回の総選挙では、橋本さんと握手しているポスターが全国のいたるところに貼られ、リーフレットが大量に配られた。いま、そのようなリーフレットが全国に配付されているのか。小選挙区制の選挙は、党首のイメージの持つ意味が大きくなった。小渕党首のもとで総選挙を戦い抜けるか、小渕党首と一心同体となって死ぬ覚悟になれるかどうか、そこのところをじっくりと考えるのではないか」

## チャレンジすることが大事だ

さらに、現在の総裁選は、かつてのように永田町の論理だけでは決まらないという。

「総裁選は、全国三一〇万人の党員を巻き込んでおこなわれる。しかも、直前に選挙を控えた国会議員の微妙な心理をふくめれば、チャレンジャーにも分がある、と信じながらチャレンジしていかないといけない。加藤さんは、党内第二派閥の領袖だ。しかも、幹事長を三期もつとめ、それなりに実績をあげてきた。国会議員も、党員も、みな小渕さんがいいのか、加藤さんがいいのか、真剣に考えるだろう。いや、考えなければ、自民党が笑われてしまう。

小渕さんは、総裁選を迎えるまでにどれだけ仕上げるか。それは、小渕さん自身の努力だ。

しかも、こっちは足を引っ張るつもりはない。直前までは、支持するといっている。が、そのことと選挙は別だ。どうも総裁選をおこなうことが悪いようなイメージでとらえられるが、冗談ではない。党員のなかからも、よくぞ立ってくれた、と加藤さんに大コールがおきてくるにちがいない。大相撲にたとえるならば、横綱の小渕さんと筆頭大関の加藤さんが、優勝をかけて千秋楽でぶつかる。

どちらが勝つにしても、大きな注目を集めている。とにかく土俵に上がらなければならない。今回は勝ち目がないので土俵に上がらないなどといって、不戦敗をつづける人には魅力がなくなってしまう」

〈後略〉

---

平成一一年九月の自由民主党総裁選がどうなったか、そして、現在の加藤代議士の政治スタンスなどについてはあえて触れません。小渕首相をはじめとする現自民党執行部がその場しのぎの言動をしているのに対し、私たちが長期的展望をもって事にあたっていることだけは、きっと理解していただけるものと確信しております。

加藤代議士の総裁選に臨む決意・抱負・自自公連立などについては、本書に収録した月刊『政界』平成一一年一〇月号に掲載された「小渕流『無の政治』への挑戦」（六六頁以下）をお読みください。

## わが闘争――第二ラウンドの展開

「サンデー・プロジェクト」のわずかに二〇分足らずの私たちの発言の反響は、きわめて大きいものがありました。私の「自公連立は、憲法違反」という話をもっと知りたいという要望が多数ありましたので、平成七年に発表した論文をもとに書き下ろしたのが「自公連立内閣は、憲法二〇条に違反する」（一三二頁以下）です。これを五〇〇〇部つくって、国会議員、関心がある方々や私の後援会に配布しました。

そうこうするうちに、公明党の神崎代表や冬柴幹事長が私の名をあげながら直接間接に私の論文に対する反論をされました。それらを最終的に集約したのが、平成一一年八月三一日～九月三日付の『公明新聞』に載った冬柴幹事長のインタビュー記事でした。公明党は、これらをもとに『誤れる「政教分離」論を糾す』と題するパンフレットを例によって大量に作成して配布しております。このパンフレットでも、冬柴幹事長のインタビューがメインで載っております。

このなかで私が名指しであげられていますので再反論をしようと思いましたが、丁度そのころ『週刊仏教タイムズ』からの対談の申し込みがありました。この記事は、私がいったことをきわめて要領よくまとめてくれました。ここに、冬柴幹事長があげた私の見解に対する反論の主要な部分について、私の再反論が載っています。あえて論文は書く必要がないと思いました。それは現在も同じです。このインタビュー記事を「政教分離原則を確認する」として、本書にそのまま掲載しました。(一四四頁以下)。

私の再反論について、創価学会＝公明党からいまのところまとまった「再々反論」はありません。その代り、私をはじめ俵孝太郎氏や四月会を誹謗中傷する記事がこのところ連日のように『聖教新聞』等に載っているようです。また、公明党のＷｅｂサイトにも同様のものがいっぱいありました。こうした攻撃は、最初のうちはあまり気分のよいものではありません。しかし、同じようなことを何回も繰り返されるとだんだん鈍くなり、現在では他の人から記事が載っていましたよといわれても、現物を取り寄せる気もしません。『聖教新聞』などの読者だって同じような気持ちだと思います。しかし、このスタイルだけは、私の知るかぎりこの一〇数年まったく変わらないのです。

創価学会＝公明党問題の先駆的な論客である内藤國夫氏は、平成一一年七月八日に逝去されました。内藤氏もずいぶんヤラられました。現在は、俵氏や私をタタいています。しかし、政教分離問題や創価学会＝公明党問題に対する国民の理解は、以前よりもはるかに進んでいるのです。

自公連立に反対する動きは、自由民主党の国会議員のなかでも着実に拡がっているのです。私をタタけばタタくほど、かえって多くの人々は創価学会＝公明党の異常な体質に気づき、反発を強めるだけなんです。俵氏だって同じことです。俵氏は、ほとんどの政治評論家が自由民主党をバッシングしたときでも一貫してわが党に対して温かい理解を示し、叱咤激励する質の高い評論をしたことを自由民主党の国会議員は皆知っているんです。わが党の大会で祝辞を述べた政治評論家は、近年では俵孝太郎氏を除いて他にはいないのではないでしょうか。それでも、やりたければおやりになればいい。俵氏は何十年も同じようなことをやられ、私もこの数年間同じようなことをやられていますから免疫があります。私たちは木魚ではありませんが、私たちをタタく音が国中にこだまして、政教分離問題や創価学会＝公明党問題を考えるきっかけになればもって瞑すべしと思っています。

## 我が闘争――第二ラウンドの今後

自自公連立の命運は、政治的に少し将来を見通せるものにとってはそう難しいものではありません。「自自公連立の政治論的批判」で詳しく述べるように、これだけの矛盾と問題を内包する連立内閣が長く続くはずがありません。これを延命させるためにいろいろな努力がなされるでしょうが、ダメなものは所詮ダメなんです。どんなに長くても、平成一二年一〇月以前に行われる総選挙までの運命です。

だから、こんなものを恐れたり、怖がったりすることはまったくないのです。私たちは臆することなく、堂々と己の信念に従って行動すればよいのです。自自公連立など、数は多いものの少しも恐れることのない「張子の虎」であり、「裸の王様」にすぎないのです。

平成一二年二月、自由民主党の国会議員によって「政教分離を貫く会」が設立されました。私も、代表発起人の一人として名を連ねています。この会に所属するものは断じて落選させよというのが、池田大作創価学会名誉会長の指令だそうです。

この「政教分離を貫く会」の代表世話人になることを内諾していた人が、関係者から種々工作されて辞退するという事態が数件ありました。政治家にとって「落選」という二文字は、抹殺と同義語であります。私は寂しくは思いますが、こうした人たちを責める気はありません。政治家には票を、企業人には金を、生活者には現世の功徳をちらつかせて、脅かしたりすかしたりする集団を私は健全な宗教団体と呼ぶ気にはなれません。

解散・総選挙は、そう遠くないうちにあります。私たちは創価学会＝公明党に抹殺されないようがんばりますが、健全な良識ある有権者の力なくして勝ち抜くことはとうていできません。相手方は、教祖ともいえる人の指令によって死にもの狂いの攻撃を仕掛けてくるでしょう。健全で良識ある皆さまにも、健全で良識的なやり方で結構ですから、性根をすえた迫力ある応援で私たちを護っていただきたいと思います。私たちの戦いは、思想・良心・信教の自由を守る聖なる戦い（ジハード）だからです。

## 誰がために鐘はなる――問われているのは、国民の自由！

自自公連立の批判は、結局のところ「政教分離の原則」にゆきあたります。また、政教分離の原則をしっかりとふまえない議論は、ご都合主義になってしまいます。きわめて残念なことですが、平成六年に自由民主党の国会議員によって設立された「憲法二十条を考える会」がそのよい例だと思います。

民主党内に「政治と宗教を考える会」が設立されました。私は、同会の熊谷弘代議士に面談し、かつての自由民主党の「憲法二十条を考える会」と同じ道だけは歩まないでほしい旨伝えました。熊谷代議士も、そのようなことはしないということを確約してくれました。このことさえしっかりしていれば、私たちの「政教分離を貫く会」と、「政治と宗教を考える会」は、党派を超えて連動することはありうると思います。

宗教界も、四月会だけでなくいままでよりも幅広い層が結集しつつあります。そして何よりも、幅広い国民が政治と宗教との関係について私たちと同じ考えを持ちはじめました。私は、そういう意味で楽観しています。

一つだけ危惧することは、政治と宗教の関係すなわち政教分離の問題というと、それは宗教団体や熱心な宗教者の問題だろうという風潮です。本論のなかでも繰り返し述べておきましたが、自自公問題とは、憲法一九条と二〇条の問題なのです。改めて原典を確認しましょう

日本国憲法

第一九条　思想及び良心の自由は、これを侵してはならない。

第二〇条第一項前段　信教の自由は、何人に対してもこれを保証する。

この二ケ条の問題なのです。政教分離や検閲の禁止等の諸規定は、これを担保するために設けられたものです。「思想および良心の自由」と「信教の自由」の境界を、確然と定めることは不可能です。それは、両者が不可分だという証左です。ここのところをよく理解してもらえれば、自自公問題や政教分離問題に無関心でいられるはずがないのです。この問題は、創価学会と他の宗教団体の争いだなどといってられないことが理解していただけると思います。

自自公連立との戦いは、国民の自由を守る戦いなのであります。この戦いが、現在三〇〇の小選挙区で行われています。この戦いをしている全国の同志にとって、いささかでも資することになれればと思い、本書を緊急に出版することにしました。

ご一読、ご批判、ご高評を賜ることができればこれにすぐる喜びはありません。

平成一二年二月一一日

新潟県上越市北城町の自宅にて

白川勝彦

二刷にあたっての追記

幸いにも本書は多方面から多くのご要望をいただき、二刷をすることになりました。わずか二週間ですが、大きな情勢の変化もありましたので、Ⅲ章二の4の『政教分離を貫く会』を設立」の部分に加筆し、またⅣ章の「永田町徒然草」に追加をしました。

（平成一二年二月二五日　著者記す）

# I

# 「自自公」の政治論的批判

# 一　自自公連立の政治論的批判

この論文は平成一二年一月一六日から二月六日までの間、三回にわたって私のＷｅｂサイトで順次発表したものである。執筆した動機は「永田町徒然草」Ｎｏ14（本書二二六頁）参照。

## 1　自自公連立の罪と罰

### 自民党が、自由民主党でなくなった

国民の多くが強い拒否反応を示していたにもかかわらず、小渕首相が自自公連立内閣を発足させてから三カ月余となる。小渕首相としては、国民の反対は現実に自自公連立内閣を発足させてしまえば徐々におさまると考えていたのだと思う。

しかし、各種の世論調査では、連立内閣発足後ますます反対が多くなってきている。日本人は、しょせん権力に迎合し権力のやることには従うというのは、一昔前の時代認識だと思う。

自自公の政策決定が、実に稚拙であったこともこれに拍車をかけた。定数是正・介護保険・児童手当・ペイオフ問題などなど。これも、三党の時代認識が違うところからくるチグハグであり、それは政党基盤と理念の差異に起因するものである。

一月八日、加藤紘一宏池会会長が山形で、

「自自公連立は、選挙前に解消すべきである」

と発言したところ、これに対する官邸や党執行部の反応はあまりにも過剰であった。人間、本当のことをいわれると過剰な反応を示すものである。しかし、政治家にとって大切なことは党や国家の利益であって、自分の面子とか立場などは本来どうでもよいことなのである。過ちを改むるに憚ることなかれ、である。それを果断にできる者が、真のリーダーなのである。

私は、昭和五四年一〇月の総選挙で初当選した。以来一貫して自由民主党に籍をおいて今日に至っている。二〇年余の自由民主党所属の国会議員として、現在ほどわが党の自由にして民主的な党風が損なわれたことを私は知らない。田中角栄元首相が一五〇名になりなんとする多勢を率い田中支配といわれた時代でも、今日よりはるかに自由闊達であった。

これまでいろいろな場面で共に行動してきた私の親しい信頼する同志も、目を伏目がちにして自自公の問題から逃げようとしている。私は彼らの心情が黙っていても理解できるだけに、痛々しくて見ていられない。自民党は、お義理にも自由民主党といえない惨状である。これと符合するように、党の広報では、「自由民主党」といわずに「自民党」とする方針を決めたという。平成八年の総選挙のとき、各種公報に「自民党」とするか「自由民主党」とするかで一〇数回も議論した末、すべて「自由民主党」で統一することにした。例外はほとんどなかったはずである。天下分け目の戦いに臨むにあたって、これまでの自民党とは違った新しい自民党をつくるのだという決意が私たちをそうさせたのだ。自民党は、自由民主党でなければならない。自由民主党が、自由で民主的な党でなくなれば国民の支持が離れてゆくのは当然である。魚屋が魚を置いていないのと同じだ。もって瞑すべし。

わが国が自由主義国家として発展してゆくためには、健全な自由主義政党が存在し、その政党が国民の先頭に立って活動することが絶対に不可欠である。現実の自由民主党が自由主義政党として一〇〇点満点をつけられるかは別として、自由民主党の理念はそこにあるし、少なくともこれまではどの政党よりもその役割を果たしてきたことは事実である。

しかし、自自公連立は、自由民主党の自由主義的伝統を一朝にして削いでしまった。これが自自公連立の第一の罪と罰である。

## 理念なき政治の横行

〝一寸の虫にも、五分の魂〟というくらいだから、一つひとつの政党には理念──基本的価値観がなければならない。連立を論ずるとき、よく政策の一致ということが言われるが、そうだろうかと私はいつも思っている。私は、理念の一致というべきなのではないかと思っている。理念から政策が導き出される。仮に表面的な政策が一致していても、理念が違っていたのでは結局は大きな齟齬（そご）をきたすことになる。

一例をあげよう。衆議院の定数削減である。自自公三党とも行政改革を断固として進める以上、自ら範を示すためにも定数削減に大賛成と主張する。一見政策の一致があるようにみえる。しかし、削減の方法はまったく違っている。自由民主党・民主党・自由党は、小選挙区制を導入した以上段階的であれ小選挙区を中心とした制度にすべきであり、定数の削減は比例区から五〇削減すべきと主張する。一方、公明党・共産党・社民党は比例代表制が本来正しいと考え、比例区からの定数削減には理念として反対なのである。要するに、理想とする選挙制度についての基本的な考え方―すなわち理念がまったく違うのである。

しかし、比例区からの定数五〇削減にすでに合意している自自連立に新たに加わる以上、まったく取り合わないわけにもゆかず、公明党は値切りに値切り二〇削減は呑んだものの、残りの三〇は小選挙区から削減すべきと主張している。現実にやれるかどうかは別にして仮にそうなった場合、確かに定数の五〇削減はできることはできるが、選挙制度の改革の方向性は全く見出されない。実際問題として、五〇〇の定数の内二〇〇の比例区定数がある限り、どの政党も過半数を制することは至難なことである。平成五～六年の政治改革が、政権の選択可能な制度を作ることにあったとしたならば、改革の方向は比例区からの削減しかないはずである。

したがって、選挙制度の改革をはかりながら定数を削減するというのならば、自由民主党・民主党・自由党の三党で比例区五〇削減法案を可決すべきであるし、自自公以上の多数があるのだから可決できるのである。公明党が連立に参加したために定数削減も選挙制度の改革も後退したことになる。

このほかにも、介護保険の保険料徴収の延期、児童手当を充実するといいながらその財源を捻出するために所得税の扶養控除額を一〇万円引き下げるというチグハグな決定など、要するに基本的理念が逆の方向を向いているのに表づらの政策だけ一致させようとするところからくる矛盾である。理念がおおむね同じでも、現実の政策が違う場合は多々ある。しかし、その場合妥協は十分可能であるし、一定の方向性のある妥協となる。連立政権下の妥協・政策合意とはそのようなものでなければならない。

ペイ・オフ問題について公明党は、多数決で押し切られたので仕方なかったとさかんに弁明している。いずれにせよ、自自公連立は三党のそれぞれの理念を傷つけあっている。その結果三党の地盤沈下が進んでいる。それにもかかわらず、三党の枢要の地位にある人たちの「三党連立体制の維持」という絶叫だけがヤケに聞こえてくる。

連立は一定の政治目標を実現するためになされるものであって、連立それ自体が目的ではないはずである。本末転倒のことがあまりにも強調されすぎると自自公連立には、何か別の目的でもあるのかと勘ぐりたくなる。いずれにせよ、理念なき政治の横行が自自公連立の第二の罪と罰である。

## 恐怖の政治が始まった

自自公連立の第三の罪と罰は、わが国の政治に恐怖と脅しをもち込んだことである。理想や希望にモチベートされる政治もあるし、利益にモチベートされる政治もある。国家とか民族のアイディンティティーが政治を大きく動かすときもある。何らかの目標に向かってるときの政治は明るい。しかし、自自公にはこのような明るさが全くない。それは、この連立の直接の動機が恐怖にあるからである。小渕首相にとっては、総選挙の敗北の責任という恐怖である。小沢自由党党首のそれは、自由党の分裂であろう。創価学会＝公明党にとっては、日蓮正宗破門による組織崩壊という恐怖であろう。自由民主党や自由党の政治家にとっては、選挙の恐怖である。

政党の合従連衡というものは、いつも華々しい口上で飾られるものである。しかし、それも大事なことなのである。その華々しい口上がその連立を規制することになるからである。今回の場合、政治の安定・政局の安定という言葉が踊るだけで、胸ときめくようなものは何もない。政治の安定ならば、自自両党で衆議院において三〇〇余議席あった。これ以上を望むは過ぎたるというものである。これだけの議席があっても政策の遂行ができないというならば、それは遂行しようとしている政策に問題があると考えるべきである。

恐怖によって動機付けられた連立を成就するために用いられるツールは、脅しという次元の低いものにならざるをえない。人柄の小渕の「人柄」が変わった。小渕首相はポストを、創価学会＝公明党は票を武器に脅しまくっている。まとまった組織票を持たない自由主義政党の政治家は、票とポスト（票の源泉となる）には脆いものである。自自公連立に際し党内で一番いわれたことは、拠ってたつ基盤が違うのに本当にうまくやっていけるのかということであった。

現状はどうなったか。シマウマの群れに狼が放たれたような状態である。自由主義政党の政治家は、図体が大きく一見強そうに見えてもしょせんは草食動物であり（まれに例外がいないわけではないが）、他の動物を食いちぎる能力を持たない。それに対して、一つの強いイデオロギーに統一された組織政党（その基礎となる組織を含む）は肉食動物である。仮にその体は小さくとも、他の動物を食いちぎる能力を持っている。

平和なシマウマの群れだったなどというつもりは毛頭ない。しかし、食いちぎられるなどという心配だけはこれまではなかった。だがいまは違う。下手をすると食いちぎられてしまう。自由主義政党の制裁などというものは本質的に制約がある。現にこうして自自公に反対している私たちに対する制裁は、役職につけないことくらいである。ところが攻撃は創価学会＝公明党からなされる。おかしな話である。こんな政党をどうして友党と呼べるのだろうか。わが党の幹部は、知っていながら黙って見ているだけである。こんな党執行部に私たちは身柄を託す訳にはいかない。わが党の歴史上、前代未聞の異常な事態である。

国会議員、とりわけ小選挙区で当選した代議士は、昔でいえば一国一城の主だなどといわれている。その一国一城の主でさえこうなるのである。普通の社会ではもっとたやすいことだろう。わが国をこんな社会にしたくない。それは悲惨である。私が、一人の自由主義者として命を懸けて戦わなければならないと思う所以である。

## 2　自自公連立の背景と問題点

### 自由民主党と公明党との関係

五五年体制はなやかなりしころ、公明党と民社党は中道政党として発足した。中道政党と自ら名のることからして公明党と民社党は野党でありながら、政権党であった自由民主党とそれぞれ特別の関係を持ってきたことは広く知られたことである。しかし、自由民主党と民社党との関係が党と党との関係であったのに対し、自由民主党と公明党の関係は必ずしもそうではなかった。それは自由民主党のなかの田中派―竹下派―小渕派との特殊の関係であったことは、広く知られている。それは、昭和四七年に起きた言論妨害事件を機に出来上がったといわれている。田中派―竹下派は公明党の候補がいない選挙区で創価学会と水面下で気脈を通じ合いながら勢力を拡大し、創価学会は自由民主党のなかで肥大化する田中派―竹下派と太いパイプを持つことにより組織防衛をはかった。

竹下派―経世会の分裂に際し、公明党は小沢氏についた。その結果、自由民主党から徹底的に攻撃されることになる。このとき旧竹下派は橋本総裁を出してはいたものの分裂の結果、衆議院議員は三〇名足らずしかおらず党内に対する影響力は極め小さい派閥であった。このとき党内に大きな勢力を持っていたのは三塚派であり、宮沢派であった。平成八年の総選挙により勢力を伸ばした小渕派は、自自連立により小沢氏との関係を修復した。これにより自由民主党と公明党との関係、いや、旧経世会と創価学会との関係が復活する環境はすべて整った。自自連立は、自公連立の導入路であるとの指摘が当時からなされていたが、それはそのとおりといわなければならない。それは自自合流によって完成されることになる。今後とも自自合流は当然のことながら執拗に画策されることであろう。

自自公連立はこのような背景をもつものであるから、それは小渕派と創価学会=公明党による、小渕派と創価学会＝公明党のための連立としての役割を果たすことになることは明らかなことである。現に神崎公明党代表は、平成一一年一一月二三日、総選挙で自由民主党が敗れても小渕総裁である限り連立を維持するとはやばやと露骨に自由民主党内を牽制している。これが自自公連立の本質である。

## ポスト自社さをめぐる争い

平成六年に成立した「自社さ連立」は、ひとつのリベラル連合であった。五五年体制下で激しく対立していた第一党と第二党の連立には、初めのうちは戸惑いや反発があった。しかし、これがリベラル連合であることが判明するにしたがって、国民の理解と支持は次第に拡がっていった。自社さ連立を決断したとき、自由民主党はリベラルな方向に舵をとることを決意し、日本社会党は現実の政権運営に責任を持つことを宣明した。新党さきがけがその触媒役と接着役を果した。リベラルな方向をめざした政治は、それなりに国民の支持を集める事に成功した。最初のうちは必ずしもそうではなかったが、しばらくすると政権のあり方として最も支持の高かったのは自社さ連立政権であった。

しかし、自由民主党の国家主義的色彩や新保守主義的傾向の強い人々は、その成立の当初から強い不満をもち陰に陽に保保連合を模索する動きをした。マスコミは、これを自社さ派と保保派の路線対立と表現した。もうひとつの「保」とは、新進党のなかの旧自民党系の人々であった。現在の公明党の人々は当時新進党のなかにいたが、この人々はこうした流れに必ずしも積極的ではなかった。

平成一〇年は参議院選挙の年であった。自社さ連立は終焉のときを迎え、衆議院ですでに過半数を確保していた自由民主党は参議院で過半数を獲得し名実ともに自由民主党政権をつくることを目標とした。そして、それは必ずしも不可能な目標ではなかった。

平成九年末に新進党はすでに解党していた。野党第一党は、旧新進党の一部を加えた新「民主党」であった。当然のことながら多くの選挙区で、自由民主党と民主党との対決という構図となった。一方、旧公明党は改めて「公明」の名で参議院選挙に臨み、小沢党首ひきいる自由党も初めて国政選挙に参戦した。公明も自由党も反自民を強調し、半年後、一年後に自由民主党と連立を組むなどということを予測する人はほとんどいなかった。

参議院選挙は予想を超える自由民主党の敗北であった。そして、梶山静六・小泉純一郎両氏をおさえて総裁となった小渕恵三首相の支持率は、二〇パーセント前後という低いものであった。不況は一層深刻化し、金融不安が現実のものとなりつつあった。こうしたなかで、金融国会とよばれた臨時国会が平成一〇年秋に召集され、小渕内閣は政策的にも政局面でも後退につぐ後退をせまられていった。こうした状況のもと、水面下で自自連立、自自公連立が仕組まれていった。

一方、野党は政局運営のイニシアティブをとりながらも金融破綻という未曾有の危機に対する恐怖からか、小渕政権打倒というカードを切らなかった。解散・総選挙に対する不安がそれぞれにあった。民主党は総選挙に対する準備がほとんどなかった。公明党（平和と公明が合併し「公明党」となる）と自由党は小選挙区制のもとでは、現在でもそうだが当時としても現有議席の確保すらとうてい望むべくもない本質的弱点をもっていた。小渕首相だけでなく、自由民主党の議員も選挙に対して完全に自信を失っていた。参議院選挙の野党各党の得票率をみれば、都市部において勝利の展望をもてるものはほとんどいなかった。

以上のようなそれぞれの恐怖が、自自公連立の動機であり、誘因であり、目的であった。自自連立に際して選挙協力が大きなテーマになり、自公連立にあたって解散の時期が大きな密約になったことなどは、このことを雄弁に物語っているといえよう。政党や政治家が保身に走ったとき、政治はダイナミズムをなくし、政治的光彩を失うものである。自自公連立によって、巨大与党が誕生したものの迫力と勢いを感ずることができないのはここに原因がある。これが自自公連立の第二の問題点である。

## 融通無碍な三党の連立

私は国会議員となって二〇年余となるが、いちばん返答に窮し複雑な思いを抱くのが次のような賞賛（？）である。

「自民党のすごさ、素晴らしさは、白川さんのようなリベラルの人もいれば、ほとんど右翼といってもよい人までいるこの幅の広さです。これが自民党の強さですよね」

自由民主党は、自由主義政党であるから当然のこととしていろいろの考えの人がいる。しかし、品ぞろえがいっぱいあればよいというものではないと私は思っている。デパートではないのだ。自由主義といっても、リベラルな考え方もあるし、新保守主義と言われる考え方もある。現実の政策面では、現に激しく対立することも多い。また、政権党には主義主張に関係なくいろいろな政治家が集まるものである。だがそれにもかかわらず、たとえ自由主義政党であっても、政党である以上ひとつの方向性はもっていなければならないということである。風の向くまま気の向くままでは、政党としてその役割を果たすことはとうていできない。そこが長所だ魅力だといわれても、ほめられているのか貶（けな）されているのか判らない。

先に述べたとおり自社さ時代の自由民主党は、自由民主党としては珍しくリベラルという方向性をはっきりと示した。自自公となって、自由民主党は何らかの方向性を示したといえるだろうか。顔ぶれをみると新保守主義的といえる感もしない訳ではないが、現実の政策は全く逆である。自社さ時代よりも、自己責任・自助努力ということを無視した政策が採用されている。目立つのは、国家主義的・管理主義的傾向だけである。

自由党は、小沢党首の個性もあって新保守主義的な理念に忠実な政党と思われてきた。自由民主党と比べればスケールは小さいのだから、同じ自由主義政党であってもそれが可能であろうと思われてきた。平成一〇年の参議院選挙で大方の予想に反して五二〇万票を獲得したのも、このような期待によるものであろう。自自連立によって日本の自由主義政治にひとつの方向性が出てくると期待していた向きも多かったが、それは完全に裏切られた。自由党が自民党化してしまった。融通無碍の政党となってしまった。これがそもそも小沢自由党の本質だという人もいるが、私は日本の自由主義政治の発展のために残念に思う。

自自連立の無方向性・無価値観は、公明党を加えることによってますますヒドイものとなってしまった。アクセルとブレーキを一緒に踏むようなことが随所にみられる。公明党は、自他とも認めるように自由主義政党ではもともとない。中道政党というだけで、スローガンはあるものの政治的価値観はつまびらかではなかった。それは宗教政党の限界であり、本質であるといってもよい。また、公明党の融通無碍なところはつとに知られているところである。

自自公連立に理念などを求めることが本来間違っているかもしれない。いや、そうに違いない。理念がないから、「政治の安定」というお題目を唱えるしか能がないのであろう。この激動の時代、あらゆる分野で大胆な変革を断行しなければならない局面で、無目的にただ「政治の安定」＝「社会の安定」を求めることは、変革を阻害することになりかねない。現に、そういう弊害が随所に見られるようになってきた。これが自自公連立の第三の問題点である。

## 3　日本の新たなる危機――自自公現象

### 健全な批判精神の喪失

「我思う。ゆえに我あり」

デカルトのこの言葉から近代は始まった。健全な批判精神こそ、国家や社会の進歩の原動力であった。自由主義者の自己証明は、健全な批判精神を持っているかどうかだといっても過言ではない。自自公連立の話が出はじめたころから自由民主党や自由党に、この批判精神というものが急速になくなっていった。健全な批判精神の喪失――これが第一の自自公現象であろう。

一例をあげれば、地域振興券である。自由民主党や自由党のなかで不況対策をどんなに議論しても、地域振興券などといった発想は絶対に出てこないし、仮にそのようなことが提案されても採用されることは一〇〇％ないであろう。しかし、これが現実に行われたのである。自由主義政治のモラルハザードである。最初は四兆円という話もあったが、国民の拒絶にあって七〇〇〇億円に減額された。もし国民の反対がなかったならば、ほんとに四兆円になったかもしれない。七〇〇〇億円の国会対策費だという説明もなされたが、ガイドライン法案という国の防衛に関する法律をこのようなもので解決することは、政治の堕落であり国家に対する冒涜である。

いま(平成一二年一月二四日)、国会では定数削減法案をめぐって与野党の激しい攻防が行なわれている。しかし、その無内容性は先に述べたとおりである。政治的茶番とはこういうことをいうのであろう。政治不信を惹き起こす最たるものといわざるを得ない。

健全な批判精神を奪ったものは何か。それはすべてが無原則かつ無方向な自自公のなかで、強烈な組織原則と強力な統率力を持つ創価学会という組織と票である。自由主義の政党や政治家は、自由主義社会がそうであるように、武装された組織に対しては弱いものである。自由民主党の支持団体は数多くあるがそれらもまた自由主義的であるため、創価学会のような絶対の統制力を持つ団体は極めて少数である。また小さな団体でなければその性質からして絶対の統制力など持ちようがない。それが自由主義的団体というものである。強大にして強力な統制力というものは、自由主義的団体にとっては自己矛盾なのである。そのような支持団体しか持たない自由主義政党や自由主義政治家にとって、強力にして強大な創価学会という組織が放つ魔力は、これを幻惑するに十分なのであろう。これに対しても本当は健全な批判精神で十分に分析する必要はあるのだが…。

## 創価学会票の分析と予測

村山元首相は、

「新進党という党は、創価学会の票をあてにして政治家が集まった選挙相互会みたいなものだ」といい、政権を取らなければ必ず空中分解すると予測していた。私は、新進党が比例区で自由民主党を抑えて第一党に躍進した平成七年の参議院選挙の後、加藤紘一幹事長のもとで事実上選挙を取り仕切る総務局長に就任した。そして平成八年一〇月二〇日の小選挙区制のもとで初めて行われた衆議院総選挙まで、全精力を新進党との戦いに傾注した。

村山元首相がいったとおり、新進党との戦いは創価学会との戦いであった。創価学会という組織、創価学会票といわれるものについては、多少他の人よりも経験も知識も持っていると思っている。いま、自由民主党や自由党の議員、そして、一部の民主党の議員の批判精神を奪っている創価学会票なるものを分析し、私見を述べる。

①政党「公明」は、平成一〇年の参議院選挙の比例区で七七五万票を獲得した。三〇〇の小選挙区にこの公明票が何票あるか調べればすぐ判かる。創価学会＝公明党は、この票を三日もあれば電話一本で自由に動かせるといわれている。これをまともに信じている選挙関係者も多いが、これは完全に違う。強い統制力のもとで票を自在に左右することを否定はしないが、それは「公明比例票」の三分の一くらいと私は見ている。「公明比例票」は全国のアクティブな創

価学会員が全国を股にかけて約一年間死にもの狂いになって「お願い」して集めた票であり、指令ひとつで動かせるものではない。もし七七五万票が全部創価学会員の票だとしたら、どうしてあんなように死にもの狂いになって長期間選挙活動する必要があるのだろうか。あるはずがない。創価学会員の票だって、相当精力を費やさなければ全部が全部「公明党票」にならないとさえいわれている。指令一本で各小選挙区の「公明党票」を全部動かせるというのは絶対に間違いである。

②第二は、作用―反作用の法則とでも呼ぼうか、創価学会が支援すればするほど逃げる、離れる票もあるということである。平成八年の衆議院選挙で自由民主党が勝つことができたのは、新進党は創価学会党であることが国民に浸透していったからである。創価学会に対する拒絶意識は、宗教界はいうに及ばずそうでない人々にも強いものがある。自自公連立に対する反発もここに原因があると言えるだろう。逃げる票が、支援を受ける創価学会票に対してどのくらいあるか？　それが最大の問題である。今後の展開にもよるが私の大胆な予測によれば最低でも同じくらいの票、最大は二倍の票が逃げると見ている。サイレント・マジョリティの反乱というものは恐ろしいものである。選挙には足し算もあれば引き算もある。掛け算も割り算だってある。

③私は、自由民主党や自由党も野党である民主党も、ガッポリ比例票を創価学会＝公明党に

持ってゆかれるとみている。自由民主党や自由党に対して、創価学会＝公明党は次のようにいうであろう。

「なんといっても、与党同士ですからね。ここでは公明党の候補者が出ていないんですから一生懸命に応援させてもらいますよ。ただ、私たちはこの選挙区では組織が弱いんです。比例票はちょっと私たちに回していただけませんか」

一方、民主党にはきっとこのようにいうのだろう。

「中央では自自公なんていってますが、何といっても、あなた方と私たちの関係は古いですよね。ちゃんと解っていますよ。小選挙区の票はそちらに回しますから、比例の票は頼みますよ」

これが創価学会＝公明党の最も得意とする二股膏薬作戦である。小選挙区の票を何票回したかなど証拠があるわけではない。いただくだけ儲けものというものである。要注意、要注意!!

④相撲に右四つと左四つがあるように、創価学会票は基本的に野党志向である。創価学会が得意とするフレンド票には特にその傾向が強い。公明比例票にはこのフレンド票が多いのである。こんなフレンド票が今回は共産党に流れると指摘する人もいる。そう簡単に自由民主党の候補者にこないことだけは確かである。

以上のように七七五万票という公明比例票は、ちょっと冷静に分析すれば絶対の味方でもなければ、それほどの神通力を発揮するものでもない。いま、シタリ顔をして得意満面なのが創価学会＝公明党の幹部諸公であり、これに怯え平伏しているのが自由民主党および自由党ならびに民主党等の一部の議員である。この現状を私は第二の自自公現象と呼ぶ。

## 縮小再生産の選挙協力

自自連立の際、競合する小選挙区の候補者を現職とするという一項目があった。その現職には、比例で当選した重複立候補者を含むか含まないかなどという笑えない話があった。自公両党の選挙協力も始まった。公明党の小選挙区立候補者がいるところでは、自由民主党はできるだけ候補者を立てないようにするというものらしい。そんな選挙区はいくつもないが…。

連立与党の選挙協力とは、どのようなものでなければならないか？　それは共通の敵に対する共同戦線であり、お互いの身の保身ではない。少なくとも自社さのときは、どうしたら新進党に勝つことができるか、バラバラに戦って漁夫の利をしめられることをどうやって防ぐかを第一にして選挙協力することにし、いくつかの選挙区で候補者調整をし成功した。

自自公三党で行なわれている選挙協力は基本的な発想が違う。楽をしてお互いに当選する道を模索する選挙協力のように見えてならない。政党が違う以上選挙のとき相争うのは仕方のないことである。ただ、それぞれ立候補したために相手方に漁夫の利をしめられることが予想される場合に、選挙協力が始まるのである。

例えば自由民主党と自由党の候補者が競合しているため、下手をすると民主党に漁夫の利をしめられそうな場合、そこで初めて選挙協力の必要がでてくる。自由民主党と公明党の候補者が競合する場合でも同じであろう。この場合、自由民主党の支持者に公明党候補者に投票するようにいってても簡単にはそうならないから、自由民主党の候補者を立てることの方が得策だと私は思っている。公明党に配慮して候補者の擁立を見送った場合、かえって民主党などの候補者を利することになる場合の方が多いであろう。

いずれにせよ、現在のような選挙協力は、与党三党とりわけ自由民主党の縮小再生産となる選挙協力でありとうてい容認することはできない。自自公三党、それぞれ自党の理念を損ない、また党の主体的な力を削ぐ自己破滅の道を進みつつあるのに、これに対する反省も反発もない異常な状態——これが第三の自自公現象である。

## 4 自自公連立の命運と二一世紀の政治の枠組

### 自自公連立の命運

自自公連立の命運はどのようなものか。政治と選挙に少しく先見性がある者ならば、その答えはきわめて簡単である。自自公連立の命運は、近く行なわれる総選挙までである。自自公連立は、総選挙で国民によって総清算される。

自自公三党は、平成一二年二月現在衆議院で三五五議席を占める巨大与党である。一見難攻不落の城に見える。しかし、平成一二年一〇月までには総選挙という国民の洗礼を受けなければならない。公明党と自由党が大幅に議席を減らすことは、選挙制度からいって避けることはできない。両党に所属する衆議院議員は、平成八年の総選挙において野党第一党の新進党という大きなカサのもとで当選してきた。小選挙区制は大きな政党に有利な仕組みである。公明党と自由党は、現有議席から見ても世論調査の支持率からいっても、現在第三党と第四党である。当時の野党第一党というスケールメリットのなかで当選してきた議員は、そのメリットを現在の野党第一党の民主党に奪われてしまう。

これに加えて、公明党も自由党も与党であるということがデメリットとなる。与党第一党である自由民主党は、三〇〇の小選挙区のほとんどに候補者を立てる。ひとつの小選挙区に与党候補が二人、三人と立候補すれば、与党支持票を自由民主党候補がかっさらってゆくのは火を見るよりも明らかである。自由民主党には大政党という安定感と安心感と長い間の信頼関係がある。自由党の一部の候補者を別にすれば、公明党と自由党には与党としての実績もなければ安定感もない。与党支持者は保守的なものである。両党がいくら与党であることを強調してみても、これまでの経緯や規模から見て安心感と信頼感がない。また、いつまで本当に与党でいるかという安心感もその保証もない。公明党や自由党が保守的な与党志向票を集めるのは、当事者が考えるよりはるかに難しい。

自由民主党はどうであろうか。公明党や自由党の候補者と競合する選挙区が、現在のところ約九〇ある。これらの選挙区で自由民主党はスケールメリットで与党志向票の大半を獲得することはできても、分散することはやはり避けえない。小選挙区制の選挙はオセロゲームに似ている。公明党と自由党が与党だということは、野党志向票を民主党や共産党で分けてよいということになる。失礼、社会民主党もいた。しかし、社民党が候補者を立てる予定の選挙区はまだまだ少ない。野党志向票は民主党が大きく獲得することになろう。

しかし、これ以上に大きな問題は、自自公連立のドロを自由民主党が一党でかぶるということである。自自公連立に対する国民の評価は依然として厳しい。どの世論調査をみても反対・好ましくないが月ごとに強くなっている。自自公連立に反対の風圧は、図体の大きい自由民主党の候補者が一人で受けなければならない。自自公連立の代表選手は自由民主党なのである。国民の六割の有権者に嫌悪感そこまでゆかなくても好ましくないとみられていることが、選挙でどうでてくるか。本当に自力のある候補者でないと簡単には勝てないと思う。

このように分析すれば、自自公三党とも相当大幅に議席を減らすと予測せざるを得ない。与党三党で一二〇議席減らしたってまだ過半数に届く、自自公は大丈夫と思っている向きもあるようだが、それは身勝手というものである。与党三党のなかでそれぞれ責任論が噴きあがるであろう。そこで自自公連立の是非が改めて問題となる。公明党や自由党において党首の責任がどう問われるか私は知らない。しかし、自由民主党においては小渕総裁の責任が問われることだけはまず間違いない。

## 気がかりな野党の自自公批判

自自公連立の命運は以上のようなものである。それならば放っておいてもよいかというと、そうではない。自自公連立に対する批判や戦いを徹底的にしておくことは絶対に不可欠である。そうしないと自由民主党が犯したと同じ過ちを何度も繰り返すことになるからである。

自由民主党は、平成八年一〇月に行われた総選挙に向け「新進党は創価学会党である」「新進党は、憲法の政教分離の原則に反する」と徹底的に批判した。それがいま自自公連立である。自自公連立に対し、国民が強い拒否感をもつ原因のひとつにこのことがあると私は思う。

現在民主党をはじめとする野党は、「自自公連立反対」の一点張りである。しかし、なぜ「反自自公」なのか、私にいわせればいまひとつ論拠が不十分なような気がする。野党の主張は「巨大与党がけしからん」「選挙のとき反自民といいながら自民党と連立を組むとはけしからん」というものである。

「巨大与党はいけない」というのであれば、どの政党も選挙で大勝ちしてはいけないということになる。こんな馬鹿な話はない。「選挙のとき反自民といいながら、自民党と連立を組むことが悪い」というのであれば、野党はいつも反自民ということを掲げるから自民党と連立を組む政党はなくなってしまう。反自民を標榜した政党が自民党と連立を組んだ場合、その是非を次の選挙で問われることは避けられない。しかし、政党というものはそもそも自党以外についてはは「反」なのである。そうでなければ選挙にならない。反自民は相対的なものであり、したがってこの点も根源的な批判ではない。

自自公連立の根源的な問題は、やはり「いかなる宗教団体も、政治上の権力を行使してはならない」という政教分離の原則なのだ。この問題をクリアーしてないから国民は納得せず、自自公連立政権を信頼していないのである。民主党などの野党の自自公連立に対する非難の声は大きいが、政教分離に反するとの批判は少ない。これでは自由民主党と同じ過ちをおかす虞があって危ない。自公連立は駄目で民公連立ならばよいというのは、単純に考えてもおかしい。

民主党内に「政治と宗教を考える会」が結成されたと聞き、私が会長の熊谷弘代議士に面談を申し入れたのもそうした危惧からであった。私は、自由民主党の「憲法二十条を考える会」の経緯を率直に話した。熊谷代議士は、このことを完全に了解し純粋に政教分離を求める会としてやってゆく決意を披瀝された。「政治と宗教を考える会」がそのようなものであるとすれば、私たちが設立した「政教分離を貫く会」とその目的は一致することになる。必要があれば党派をこえて連動することはありうる。

## 思想・良心・信教の自由は不可分一体

日本の政治は連立の時代に入ったといわれる。私は必ずしもそう思わないが、当面連立政権が続くことはやむをえないであろう。しかし、自自公であれ、自公であれ、民公であれ、公明党を加えた連立は自自公連立と同じような運命をたどることになるであろう。細川・羽田内閣が短命だったのも、いまになって考えると公明党を加えた連立だったからであろう。

なぜ、そうなるのか。それは政教分離問題の根が深いところにあるからだと思う。政教分離の問題に対する国民の理解は、以前にくらべ格段深まっている。前回の総選挙の際、自由民主党が徹底的にキャンペーンを行ったことも寄与しているかも知れない。しかし、それ以上に国民は、こまかいことは知らなくても政教分離問題が「自由」に深く関わる問題だということを肌で感じているからである。それは正しいのである。

憲法一九条は、

「思想及び良心の自由は、これを侵してはならない」

憲法二〇条一項前段は、

「信教の自由は、何人に対してもこれを保障する」

とある。

「思想・良心・信教の自由」は、まさに不可分一体なのである。「良心の自由」と「信教の自由」の境界など、厳密にいえるものではない。創価学会＝公明党の特異な体質や行動があいまって公明党の政権入りに対し、国民は「自由」の面から深い恐れ・危惧の念を抱かざるをえないのである。大衆は結果として賢とはこういうことをいうのであろう。

新憲法によりわが国は自由主義国家として力強く歩み出した。この流れを止めることは誰もできない。その源流が、憲法一九条と二〇条なのである。自自公連立に対する戦いは、「国民の思想・良心・信教の自由」を護る戦いなのである。大義のある戦いであり、負けることのできない戦いであり、負けるはずのない戦いなのである。

「自自公新党」「保守・中道大連合」など、問題の本質を全く理解していない発言が自自公連立推進派から次々と流されてくる。それは無理、無駄というものである。すべて徒労に終わるであろう。そんなことより事の本質に思いをいたし、正道に立ち返ることが自由民主党の生き延びる道なのである。

## ポスト自自公連立のキーは、リベラリズム

自自公連立の命運はすでに明らかである。終焉のときは刻一刻と近づいている。それではポスト自自公は何か、多くの人々の関心のあるところであろう。自自公連立推進派からは、自自公以外の組み合わせはないではないかという声も聞かれる。

自由民主党が次の総選挙で負けると決まっているわけではない。いま第一にやらなければならないことは、自由民主党がどうしたら過半数を確保できるのかということなのである。そのためにも、私たちは自自公連立を一日も早く解消すべきだと主張しているのである。

参議院の過半数割れがあるじゃないかというが、それならば総選挙の意味がない。政権のあり方は、衆議院の議席によって決定されなければならない。参議院の議席によって政権のあり方が決まるのであれば、第一院たる衆議院の権能が侵されることにさえなる。平成元年の参議院選挙で大敗して以来、自由民主党は参議院で過半数割れをしているのである。それでも自由民主党は政権を立派に運営してきた。参議院の過半数割れは自自公連立の根拠づけには断じてならない。そういう考えは政治のダイナミズムを失う。

しかし、自自公連立のまま総選挙に突入すれば、自由民主党の過半数確保は実際のところ極めて難しい。やはり連立政権にならざるをえないというのが現実的な考えであろう。だからポスト自自公はやはり自自公しかないのだ、と自自公連立推進派はいう。そうなることを望んで、自自公連立に固執しているのではないかとさえ私には思えるのだが……。

本当にそうだろうか。また本当にそれで良いのか。自自公三党で大幅に議席を減らしたとするならば、それは自自公連立が国民の信任を得なかったということを意味する。国民の信頼を得ない政権が、果たしてドラスティックな改革を断行することができるだろうか。

改革というスローガンを掲げない政権というものは滅多にないものである。国民の信任が少ない政権ほど、改革というスローガンを濫発したがるものである。改革には二種類のスタイルがある。政権が権力を使って強制して行う改革がある。社会主義国家や全体主義国家の行う改革のスタイルである。もう一つは、政権が国民のエネルギーを引き出して実行する改革である。自由主義国家の改革はこのような改革でなければならない。このタイプの改革は、費用もかからないし権力を極端に行使する必要もない。しかし、一つだけ不可欠な条件がある。それは政権に対する国民の信頼があるということである。

今日、わが国の政治、経済、社会のあらゆる分野でドラスティックな改革を断行しなければ二一世紀の展望が拓けないということは多言を要しないであろう。私たちが断行しなければならない改革は、ドラスティックなものでなければならない。しかし、それは自由主義的な手法で行わなければ決してその実を挙げることは不可能であろう。わが国が自由主義社会だからである。国民の信を失った政権を無意味に続けさせることは、改革を進めるうえで許されない。それは犯罪的でさえある。

このように考えれば、ポスト自自公は断じて自自公ではない。国民の信頼を得られる連立の形態を、一人ひとりの政治家が模索しなければならない。そのキーは、ごく普通の意味におけるリベラリズム＝自由主義ということになろう。真の自由主義者がすべてをのりこえ大同団結をしなければならない。そうしなければ二一世紀の展望を切り拓く政権はできない。

すべての自由主義者、団結せよ。そのときは刻一刻と迫っている。

## 二　小渕流「無の政治」への挑戦

衆議院議員　加藤　紘一

このインタビューは月刊『政界』平成一一年一〇月号に掲載されたものである。聞き手は作家の大下英治氏。加藤紘一代議士の自公連立についての考えが詳しく述べられており、また発足した自自公連立は、加藤代議士が予測したとおりの悩ましい困難に直面している。

加藤代議士や私は自公連立の問題を日本のこれからの政治全体のなかでとらえ議論しているのである。そのことを理解してもらうために、自公連立が大きな争点となった自由民主党の総裁選挙の直前に行われたインタビューの全文を加藤代議士と大下氏の了承を得てあえて載せることにした。

なお、加藤代議士のホームページアドレスはwww. katokoichi. org。

何でも「通し」の第一四五通常国会で〝安定政権〟を見せつけた小渕首相が、自信を持って臨む自民党総裁選。小渕断然有利の下馬評を前に敢然と立ち向かう加藤紘一候補。〝禅譲〟の甘い声を断ち切って、「政策音痴」「リーダーシップ欠如」「真空政治」と揶揄される現政権にどのような戦いを挑むのだろうか――。

## 「政策マン」加藤をいかに訴えていくか

――加藤派内に、今回の自民党総裁選に堂々と出馬して、日本のリーダーとして、日本をどういうかたちにしていきたいのか、国民にはっきりとしめすべし、という意見と、今回は出馬しないで、小渕派の野中広務官房長官との太いパイプを活かし、小渕首相から総裁の座を禅譲してもらった方が賢明だ、という意見があった。加藤さんとすれば、それらの相反する意見にはさまれ、いつの時点で出馬を決意されたんでしょうか。

**加藤**　正式に出馬を決断したのは、七月の中旬ですかね。

――派内の真反対の意見は、ご自分としても、それぞれ納得できたんでしょうか。

**加藤**　それなりに考え方は納得できました。が、政治に対する考え方のちがいがあると思いますね。とにかく総理になるのがすべてだと考えるのか。それとも、総理総裁になるだけでは意味がない、なって、何をするのか。それから、しようと思ったことを実現できるのか。実現するためには主張の強さと行動の強さがなければいけない。そうでなければ、人はついてこない。やはり、自分自身を考えると、自分の意思というものを、自分で確かめつつ進んでいかなければいかんというのが根っこにあるんですかね。

それに、禅譲路線といっても、確実に禅譲が決まっているわけではありませんからね。ある日、新聞がわたしのことをなんとなく、「ポスト小渕の一番手」「総理にもっとも近い人間」と書いてくれるようになったんですが、そういうふうにマスコミに書かれながら消えていった人も、何人もいるじゃないですか。そういうマスコミの評判よりも、自分自身でしっかりとした考えが持てるのか、自分の考えを実現していくための意志力をちゃんともてるのか。そこのほうが重要だと思いました。そういうことを派内のみんなにいって説得していった。

——わたしも加藤さんを見ていて、実力者ということは十分にわかる。しかし、あくまでこれまでの幹事長としての調整役としての手腕を見せることがほとんどでした。だから、テレビの討論会などに出演されても野党を中心にいろんな反論が出されるのを、たちどころに整理して、理論的に、それはこうだよ、と説明なさったわけですよね。

見ている者に対して、頭の切れることと調整のうまいことはわかった。だけど、リーダーとして日本をどういう形に引っ張っていくのか、日本に対するどのようなビジョンを持っているのか、いまひとつ見えにくかった。そういう面で今回の出馬は国民に調整マンだけでなく、リーダー加藤紘一をアピールできる絶好のチャンスだと思います。

**加藤**　そう。調整者としての仕事を四年やりましたからね。本格的連立というのは、日本の戦後政治史のなかでは、自民、社会、さきがけ三党連立政権の、いわゆる自社さ政権がはじめてなんですね。その前に細川政権も、羽田政権もあったんだけど、脆弱なものでした。単に自民党の批判をしているだけで時が過ぎていた政権にすぎない。細川政権が八ヵ月、羽田政権が二ヵ月、われわれの自社さ政権が四年。やってみると、調整役というのは、かなり己を殺さなければできません。

――調整型よりも、もともと政策を打ち出していく政策マンタイプでしたものね。

**加藤**　どっちかというと、わたしは理屈っぽいほうだから。

――逆にいうと、政策マンだけでなく、調整もできるんだというイメージはつくられましたけども、政策マンより調整型のイメージが強くなりすぎたですよね。

**加藤**　埋没しちゃったからかもしれませんね。どちらかといえば、わたしは理念型かもしれませんね。

――加藤さんの側近の川崎二郎さんが、加藤さんが政策だけでなく根回しまでやらざるをえなくなった理由について、宏池会の特性が影響しているといっていた。宏池会では、物事をうまく説明できる人材がいなかった。そこで、加藤さんが引き受けざるをえなかった。宏池会には、近藤元次、渡辺省一という人材がいた。が、近藤さんは亡くなられ、渡辺さんは病に倒れた。近藤さんと渡辺さんがいれば、県議経験者、地方政界のなうてのひとたちが加藤さんを支える体制ができた。加藤さんも、政策と根回しの両方を引き受けることもなかった。

加藤さんは、川崎さんにこうこぼしていたといってます。

「正直いって、小沢一郎さんと喧嘩したり、泥かぶりの仕事はしたくなかった。ある程度超然とした政治家として、国民に志を述べて外交を語るような役割をやりたかった。こんな政治家になるつもりはなかった」

川崎さんは、「われわれは外交を語り、金融を語る本来の加藤さんの姿にもどさなければいけない。これからは、これまで加藤さんが背負っていた部分をわれわれが背負わなければならないだろう」といっていました。

**加藤**　そうですね……。

## 総裁選での争点とメッセージのある政治

――今度、総裁選でぜひ、これだけは主張したいということを三つに絞っておっしゃってください。

**加藤**　まず一番目は、この国は大丈夫と思っているんです。いろんな国で、苦しいときはあるんですよ。イギリスの二五年前は、イギリス病でした。一〇年前のアメリカは、いまの日本とおなじ金融、産業の悩みを抱えてました。が、それぞれ、立ち直っているでしょう。だから、この日本をイギリスやアメリカのように回復できないわけがないと思うんですね。

――二番目は。

**加藤**　いま構造改革を、ちょっとモラトリアム（猶予）して、先送りしている。それから、早く脱却しないといけない。この国は、資本と技術力と、それから一億二五〇〇万人の人材という、大変なシーズ（種）をもっている。それを花開かせるためには、土壌が重くなりすぎているんですね。科学肥料もぶちこみすぎている。白く、固くなっている。それを早く直さないといけない。砕いてやわらかくし、有機肥料を入れないといけない。それをやったのが、橋本さんのビックバンなどの六大改革なんです。が、その手術がちょっときつすぎた。悲鳴が上がって、いま小渕さんが癒しの政治をやっているわけです。しかし、この時期はあくまで癒しであって、ほんらい国の底流が動きはじめている改革への流れは、いずれすぐまた手をつけなければならんのだという意識をリーダーが顔に出さないといけないと思うんですね。そこの脱却をしなければいけない。

——三番目は。

**加藤**　政治はやはりメッセージをいわなければいけない。小渕さんは、いわゆる〝無の政治〟。あるいは、なんでも聞きますという〝真空の政治〟と自分を表現されている。リーダーが無ではいけません。小渕さんは決して無ではないんですよ。考えがない人が、あそこまでいくわけないんで。それをあえていわない伝統的な政治スタイルをとっているにすぎないんです。が、これからのリーダーは、自分の考えを明確に表現しなければいけない。国の経済が順調で、国民の目的意識もはっきりしている平静なときには無でもいいんです。が、いまのように先が見えないときに、トップリーダーが、わたしには考えがありません、だから人と対立しません、というようなことをいってはいけません。だから、今回の総裁選は、わたしは、そういう自分の考えをいうための、自分の夢をはっきりしめすための場ととらえてます。それで国民が少しでも元気になって、ああ、そういうものの見方もあるんだと、日本はやれるのかもしれんと。そうなったら、わたしは総裁選をやった意味があったな、と。総裁選は、わたし自身の心のなかで大きな勝利になると思います。

## 国民のなかにある二つの不安の払拭を

――もっと主張を具体的にいうと。

**加藤**　国民のなかに二つの不安がありましてね。これに、まともに立ち向かっていかないといかん。

――一つは。

**加藤**　たとえば、自分の夫の勤めている企業は、大企業である。が、今後は大丈夫だろうかという雇用の不安。日本の経済の先行きについての不安だと思うんですね。一〇年前のアメリカを見ますと、さっきいったようにおなじ問題を抱えていたのが、立ち直った。なぜ立ち直ったのか。二つの分野が、リーダーなんです。一つは金融技術力、もう一つの分野は、インフォメーション分野。

――金融技術力でいえば。

**加藤**　もちろん一〇年前は、日本の銀行が強かった。アメリカは、デリバティブ（金融派生商品）という強力な金融技術を身につけて、アジアを席巻し、日本をゆさぶったわけですね。そういったことは、別に国土の広さとか、自然資源の広さは関係ない。日本でもやれるはずなんです。いま、それをやろうとすると、有力大学経済学部は、そんなものは学問ではないといって、やむをえず工学部のひとがやりはじめている。この大学の固さは、なんだと。

——もうひとつのインフォメーション分野については。

**加藤**　ビル・ゲイツのマイクロソフトに代表されるようなインフォメーションテクノロジーは、アメリカのカリフォルニア州のシリコンバレーで生まれているんですね。よくみると、それはスタンフォード大学とカリフォルニア大学のバークレー校の基礎研究を民間企業に出したんですね。それからバイオテクノロジー。ボストンにはハーバードとＭＩＴ（マサチューセッツ工科大学）のバイオテクノロジーの研究成果を受け止める企業群が生まれて、産学共同やっているんですね。日本で、それをいまやれるかといったら、できない。日本の大学や研究所は、ほとんど有力なのが国立ですから。それをやろうとすると、汚職の世界なんですね。産学共同は悪の世界なんですね。ごく最近も、有力教授が次から次と逮捕されるわけ。だから、こうなると、一言でいうと、こんな産学共同はいけないなんていう障害物を置いて、日本の経済は世界に伍してよくやってきたな、と思いませんか。だから、これを急いで直さないといけない。

——わりと早くできるんですか。

加藤　リーダーが決断すれば、できるんです。四、五年で大きく改革できるだろう。それからいわゆる産学共同に、風穴を開けるというのは、半年、一年でできることですからね。急いでやらないと、とくにバイオテクノロジーの世界なんてのは、遅れをとる。そこはやれるんですよ。日本人は、賢いんだから。その賢さをうまく活用する社会システムが生まれてきてないので、そこは土壌改良しようじゃないか、システム改良しようじゃないかと。そうすれば、できると。

## 少子高齢化社会のなかでいかに生きるか

――もう一つの不安は。

加藤　少子高齢化の不安なんです。そこでいくつかの誤解がありますね。六五歳以上を高齢化というなら、その日から介護が必要のような気分になっているんですよ。そうじゃなくて、昔は六五歳から七一歳までが、老後でした。七一歳が平均寿命でしたから。いまは七六歳ですから、本当に介護の必要な期間というのは、逆に短くなっているんです。ゲートボールも盛んだし、七三歳でパソコン教室に通うおばあちゃんもいたりしてね。ですから、そんなに暗い世界ではない。逆にいえば、六五歳から七二、三歳の方の時間を一週間、一五時間から二〇時間提供してもらいたいと。半分ボランティア、半分実費でね、子どもたちの教育とか、キャリアウーマンの子育てのために、自治体ないし、ボランティア団体に。それはおたがいに生きがいがあり、いい世界になるんじゃないかと思うんですね。

それから、老後の不安のなかで、もうひとつ指摘したい。公的年金について、とんでもない誤解と不安が、混乱があるんですね。国がやっている年金というのは、あてにならないし、戻ってこないから、民間の年金がいい。

――総理の諮問機関の経済戦略会議でも、そのようなことをいっていますね。

**加藤**　そうなんです。民間の生命保険がやる年金というのは、利益のためにやるんですよ。失敗すると生保会社は潰れるんですよ。国の年金は、支給額の三、四割、税金で注ぎ込む。だから、国のほうが圧倒的に有利なことは、誰が考えてもわかる。それなのに、なぜあんな誤解を総理の周辺がばらまいたのか。メディアも悪いと思うんですよ。つまり、サラリーマンが月給から三万円年金保険料を引かれる。この積み重ねが将来二〇〇〇万円くらいになるんだけど、それが戻ってこないと思っているんだが、それは戻ってくるんですよ。三万円払ったものが五万円くらい。ただ、会社側も三万円払うんです。合計合わせて六万円がもどってこないといけないが、自分が払った三万円に対して、五万円ですよ。こんなに有利な老後の設計というのは、ないんですよ。タンス預金だってかなわないし、民間の企業だって絶対にかなわないし、確定拠出年金型の４０１Ｋだって、まったくかなわない。だから、そこにもっと自信を与えないといけない。

——リーダーも悪いですね。もっとわかりやすく説明して、国民を安心させなくてはいけない。

**加藤**　おそらく世の中のサラリーマンの九割は、給料からとられた分が、将来帰ってこないと思い込んでませんかね。それから、三番目には少子化の問題。これは時間外保育、駅前保育ステーション等々、それから民間会社に少し保育需要を採用してもらう。

さらに一番大きいことは、子どもをつくるということが、男女の共同責任なんだという意識を、社会の経営者もふくめてもってもらうかが一番なんですね。夫はもちろんだけど。結局、女性が社会で働き、意義ある仕事をするようになった。そして経済が発達したから、女性一人でも生涯を送っていけるだけの給料をもらえるようになった。そうなったら、女性にとって結婚は最高、最良の就職なんだ、と三〇年前に田舎でいっていたことが夢のような時代になったんですね。そのやりがいのある生活を、結婚、子育てで、捨てたくないというのはわかるんですよ。そのためには育児休暇を、単に女性だけでなくて、男性にも認めるか、というところにいきつくと思いますよ。

――某有力テレビ会社の社員が妻といっしょに産休を取ったことがいま話題をよんでいますよ。

**加藤**　厚生省の官房企画課の課長補佐が、それも鹿児島という男性社会出身のエリート官僚が四一歳で半年ほど妻のお産のために休暇をとっているんですね。テレビでそのインタビューを観たけども、やはり、厚生省のそのひとは、自分は、職場にもどってもキャリアに傷つかずに続けられるという安心感があったからといっていた。普通の会社だったら、男が育児休暇とったら、建前は休暇をとらせてやるけど、心のなかではいい加減にしろ、となるんじゃないですか。出世は止まりますよね。

――とくに田舎の中小企業なんかでそれをやったら、アウトですね。

**加藤**　だから、そこをみんなが本音で理解することができるか、ということなんですね。男がオムツを取り替えるか、これはぼくらの世代ではノー。でも、若い世代では当たり前になってます。あと残った問題は、経営者が男の育児休暇を認めるかどうですかね。そして、左遷しないか、というのが最大の問題じゃないですか。厚生省が、安室奈美恵の夫のＳＡＭが愛児を抱いている写真をポスターにして、「育児をしないひとをパパと呼ばない」とキャンペーンしているけども、役所のポスターにしてはよくできているな、と思ったですね。少子化問題は、どうも、そこにくるようですね。そんなことをみんなで議論して、男の育児休暇ということを、みんな首を傾げながら、しかしだんだん首が少し、理屈からいえばそうかもね、というふうに少しでもなれば、自民党総裁選をやった意味もあるかな、と思ってます。

いまの二つの不安に真正面に政治家がかたりかけようといったのは、そういう意味です。

## 自自公連立はまず閣外協力から始めるべき

——より目の前の問題に移ります。小渕首相、野中官房長官が主になって進めた自自公路線に対して、加藤さんは、部分連合、いわゆるパーシャルでやるべきじゃないか、入閣問題に関しても、とりあえずは公明党は入閣しないで閣外協力にすべきだと主張されています。当初は、総裁選では自自公の路線問題は争点にしないといってましたが、なぜここにきて……。

**加藤**　自自公の話になると、みんないっせいに、いまの政治には自自公問題以外にないというような雰囲気になりましてね。毎日、新聞で書いているでしょう。わたしたちは、総裁選では、「二〇〇五年の日本は大丈夫か」とか、「二〇一〇年に子どもたちがのびのびと勉強したり、サッカーしたりしていられるか」ということを論じたいんです。一〇年後にいまを振り返ると、世紀末に自自公なんて論議した時が半年ほどあったね、というくらいのことに終わるんじゃないかと思いますね。総裁選では、地味だけと、長いスパンの議論をしたいと思っていたんです。

でも、とにかく連立の問題というのは、みんな考えるところが多い。考えを早くいってくれ、とせかすので、それでは、自分の考えは、明確に申します。じゃ、早くしますから、その後はビジョン論争にしてください、というつもりで、今日(八月二二日)から明言しはじめたんです。

わたしは、自公はとりあえずは閣外からはじめるのがお互いのためにいいと思います。自民党のためにも、公明党のためにも。それで、最初、公明党もそう思っていたと思うし、自民党のかなりの部分も、最初は閣外からと思っていた。が、急速にあるところから、どなたが舵を切られたのかしらないけども、一挙に閣内までいく判断をされた。

――小渕首相、野中官房長官あたりですね。

**加藤** わたしは、衆議院で過半数を取れていれば、首班指名と予算や条約は対応できますから、あと参議院のほうは政策ごとのパーシャルでいいと思います。しかし、小渕首相が参議院の数の足らないことを考えて、どうしてもおやりになりたい、というならば、現実的な選択としてありうると思う。

が、そのときには全国の党員、それから全国の支持団体、とくに保守系宗教団体の理解と了解を、充分にとらないといけません。そのことを、われわれは強くいっていたんです。その後三週間ほどして、反対は、ますます強くなっていますね。とても了解が得られているという感じではない。いっぽう、特にそういう宗教団体には属してないが、地域における良質な保守指導層というものが、静かな声で手短に、しかし、真剣に自公反対をいってくるようになりましたね。低い声で、「代議士、あれはいけませんよ」と。

いま自民党内でも、これまでわりといろいろ公明党にたいしてはっきりと意見をいってきた人ですら、公明党にたいしてはあまり口にしなくなっている。非常に寂しいことです。自分の選挙の協力のことなどを考えると損、と判断しているんでしょうね。だから、わたしはそういうことも考えてはっきり主張していくつもりです。

――公明党との連携そのものを否定しているわけではないんですね。

**加藤**　わたしは公明党といろいろお付き合いすることは、おたがいにためになることもあるとは思ってますよ。たとえば少子化問題の論議についていえば、自民党の支持層というのは農村が中心ですから、三世代同居という大きな家族が多いんですよ。おばあちゃんが孫を見ているというケースが多いんですね。ところが、公明党の支持層というのは、都市家族が多いから、おばあちゃんがいるというのが少ないんです。そうすると、少子化、保育対策に一所懸命になる。自公で、そこの議論すると、おたがいに教えられるところが非常に多い。その意味では、閣外からだんだん積み重ねていったほうがいいんじゃないかと。世論調査を見ても、全国的にとてもまだ自公閣内というところまで理解は進んでないんではないかと思います。

## 数が多すぎる与党は不安定政権を生む

——もう一つ、衆議院五〇〇人中自自公を足した三五〇人をまとめた巨大与党体制がいいか、ということをおっしゃってますね。

**加藤**　これで安定するというけども、数が多すぎるのは、むしろ不安定。それぞれ権力、もっと具体的にいえば、大臣の数、政務次官の数、それから使える財政資金も一定です。それをめぐって、従来は二六〇人くらいで判断していたのが、三五〇人で議論しちゃうわけでしょう。かならずもめます。自由党、公明党それぞれの政党が存在感をしめそうと思って、自民党になかなか受け入れられそうにもないような発言とか要求をはじめるんです。

——まぁ、そうしないと埋没してしまいますからね。

**加藤**　だから、三五〇の数が多すぎて、逆に不安定というのが、じつは、わたしの予想するところ。それは、正確にいうとちがいます。すでに起きてます。自由党、公明党の間で、すでに問題がはじまっているんです。これをクールに、厳しい政治判断力で、男らしい、ダイナミックな政局の分析をして対応ができなければ、危ないと思いますよ。それから三五〇人の与党ができると、国会が空洞化する。

――残りの一五〇人の意見を聞かなくても、三五〇人で決めてしまえますからね。

**加藤** こういう話は、自社さのとき、たしか三〇〇人足らずの体制でしたが、すでにありました。そこで決めてしまうと、国会ではなんでも通ってしまう。三党がいるから、強行採決も可能です。そうすると、国会は無力化、空洞化して、その批判には、なかなかいい反論はなかったです。わたしが一番の調整役でしたから。だから、わたしは与党内でやっているいろんなプロジェクトチームの討議の内容は、全部オープンにしてほしいと。どこでいつやり、どんな議論で対決したか、ということを事細かくみんなにブリーフしてもらった。だから、自社さ政権は、比較的オープンで明るいといわれたと思う。いま、自自公では、少数の人でやっているもので、わたしにも、いったいどういうふうに流れているのか、わからない部分があります。わたしのように、連立調整のプロみたいなことをやっていた人間にすら見えない。これはいつか指摘されると思うんですよ。最終的には。

――自自公以前の自自そのものにたいしても、批判的で消極的に容認してましたね。

**加藤** 拙速にすぎたとぼくは、思います。当時、三つの問題があった。選挙協力を現職優先としましたね。これには、強い危惧感をもってました。二番目に、集団的自衛権の問題、三番目に消費税の三％への引き下げ。あとの二つに対しては、われわれの必死にブレーキかけました。自由党があきらめてくれたときに、われわれは、自自連立を消極的容認といいました。ただ、当時問題にした選挙協力問題は、案の定、八ヵ月を経てまた表に出てきましたね。取り決めの脆弱性が予想どおり出てきて、わたしは九月、十月も問題として混乱要因になりつづけると思いますよ。

――それと関連して、定数削減問題がありますね。比例で五〇削減と強く主張している。

**加藤**　これは、ある程度建前じゃないかと思います。根っ子は、選挙協力をちゃんとやってくれるか、ということをたずねているわけです。リーダーというのは、とくに小沢さんのように、新生党から新進党、いまは自由党と、だんだん数は少なくなっているわけですが、でも、自分についてきてくれた人を当選させるというのは、リーダーの最大の関心だと思いますよ。政策よりも。ただ、選挙協力は難しいです。前回の総選挙では、わたしは自社さで四ヵ所ほどやりましたが、七転八倒しました。今度、二九選挙区、二九人ですよ。

――どうするんですか。調整できるところだけなんですかね。

**加藤**　突き詰めていくと、党の合併で、という議論が出てますけど。

――実際に亀井（静香）さんところと自由党と合併で動いているんですか。

**加藤**　いや、できてないと思いますよ。永田町のリーダーたちの都合でついたり、割れたり、というと末端の組織がついてきませんよ。たとえば岩手県一つとってみても、主義主張がいっしょだったらまた元に、と復縁を、というのは理屈ではわかりますが、そこにいたるまでは、よほど党の組織間の単にリーダー同士じゃなくて、組織間の長い時間をかけての融合プロセスがないとできないと思いますよ。あまりにも唐突すぎます。

――ただ可能性がゼロとはいえない。

**加藤**　将来としてはありうる話だけども、よほどの政治家レベルおよび末端組織レベルの話し合いで理解されないかぎり、やってはいけないと思います。

――この公明党を閣内に入れるかどうかの路線問題も、総裁選で、票を入れる側にとってみると大きな問題ですね。おれも公明党の閣内連立はいやだよ、というひとも多いでしょう。そういう思いの議員や党員も総裁選での打ち上げ方によっては、ついてきますね。

**加藤**　さぁ、それは。三〇〇万人の党員いますけども、うち二〇〇万人は、系列党員ですから、それが系列の影響を受けるか、それとも一人ひとり判断するか、わかりません。これは開いてみないとわかりません。

――小渕派は、系列党員の締めつけが得意ですからね。小渕さんも、これまではわりと呑み込んでいたけども、今後を考えると、そう簡単にいかなくなりますね。

**加藤**　でも、党内の支持者も非常に多いですしね。まぁ磐石な構えをした巨大な空母に小さなフリゲート艦が立ち向かっていくようなものですからね。そんな大きな動揺はないんだと思うんですけどね。

――ご自分とすれば、どのくらいの票数と考えてますか。

**加藤**　われわれは、目標数字はもたないようにしようと。本当に宏池会だけはしっかりまとまって、いい戦いをしていきたい、いい論争をしていきたい。それで、さわやかに、いい戦いしたな、と。いろいろ知恵も使って、印象にのこったな、それからいくつかの主張が、国民の脳裏に残ったな、となれば、わたしは成功だと思います。さっきいったように、年金について、すこしみんな明るく思ってくれたり、尊厳をもった老後を送れる可能性もゼロじゃないんだなと。あんまりクヨクヨしないでいこうというように人が思ってくれればいいんだと思うんです。

——小渕丸としては、かえって国民がそう思ってくれれば、助かりますね。

**加藤**　それによって、国民が明るくなって、いい将来が開ければいいじゃないですか。たとえば、単に減税して、国民のポケットにお金を入れる。ものは売れるだろうという需要刺激政策を一〇年やってきたけども、それは限界がありますよと。もうちょっといい製品、いいサービスをつくれるような経済に直そうと。

——いわゆる「サプライ・サイド」（供給側）の問題ですね。しかし、加藤さんがいち早くいいはじめた。金融再生をおこなっている銀行からの借り手である企業側の水膨れした過剰債務を処理することで再生するこの改革については。

**加藤**　だから、いいことなんです。最近は、わたしと山崎さんは、科学技術について、四、五年必死に予算つけをしてきたが、それをいうと、今度は小渕さんがまた自分の意見として呑み込もうとしている。が、それはそれでいいんじゃないですか。

——党員のほうは、永田町の派閥の配分以上に取ればいいという考え方も。

**加藤**　あるんだろうけどね。まぁ、票とは別にいい印象に残る戦いをしたいです。

## 官僚政治は戻る!?　小渕政権の継続

――総裁選後の人事は、どうですか。加藤さんとすれば、さわやかな戦いをしたつもりでも、相手にすれば、総裁選後も加藤派を締めつけてくる。

**加藤**　ないと思いますよ。わたしたちはさわやかな戦いが終わったら、またいっしょに協力をして、党のためにやっていこうと思います。それを小渕さんがどう取り扱うか、小渕さんの考えですからね。

――野中さんとのパイプがあるから、次に禅譲してもらえはずだったが、今回の総裁選で野中さん、および小渕派との間に亀裂が入るという不安が。

**加藤**　野中さんと、個人的な信頼関係は、きっちりありつづけると思ってます。ただ、総裁選をやるかやらないか、禅譲というものがありうるか。より永田町の数の論理でものを考えるか、国民に問いかけるかという点については、野中さんとわたしとの間には感覚の差がありますす。それはやむをえないんではないでしょうか。それから、連立のありかたについても、わたしは四年間の三役で、自社さ連立運営を四年責任をもった。結論は、数だけ集めると運営は逆に難しくなるということでした。

わたしが幹事長時代におこなった二つの大きなミスがあった。その一つが、二期目の幹事長を辞めるときに、なんとしても総選挙で二三九議席まで伸ばしたが、過半数に足らなかった。それをいろんな方と話し合って、二五一にしたわけですよ。ところが、そのとたんに自民党内で傲慢な声が出ました。「もう、土井さんはいらない」。土井さんのほうも、「もう、わたしたちいらないんでしょう」と。憲法について、財政、金融分離についてとか、ハードルを高くしましたね。だから、連立の有り方について、わたしと野中さんの考えはちがいますね。

去年八月に小渕政権ができて、わたしは、それから、まるでわたしがつくった内閣くらいの気持ちで、裏で一所懸命協力をおしまずやってきた、野中さん、古賀（誠・国対委員長）さんに協力してきた。ただ、自由党との連立話がもちあがったあたりから、政治の手法がわたしとはちがってきた。数を集めることが安定です、と今日も野中さんがいっているけども、政治の安定は何か。政府の官僚がつくった法案を通す。それも、できるだけ早く。これが安定というならば、また官僚政治に戻るということです。数を頼んだ政治というのは、官僚政治ですよ。

——政界再編がまた新しいうねりになってくることがあるんですか。

**加藤**　どうでしょうかね。

――小沢さんは、それを狙っている。

**加藤**　そうでしょうね。小沢さんにしても、菅さんにしても。自民党のなかを割りたいというのは、当然だと思いますね。

――加藤さんに対して、民主党は、自民党を割ってきてほしいと願っている。羽田（孜）さん、菅（直人）さんも、鳩山（由紀夫）さんも。

**加藤**　党外で人気あって、党内で孤立しているんじゃ、意味ないんじゃないですか。

――民主党のエールについて、それはどう思います。

**加藤**　いろいろ評価をいただくのはうれしいことですが、わたしが自民党を出ていくことは断じてありません。自民党の一番の中心勢力は、わたしたち宏池会だと思ってますから。

――むしろ、かれらが出てくるのは歓迎。でも、そうなると、自民党も割れてしまうね。

**加藤**　そうなんです。三〇〇を越えた勢力は割れます。前みんなそういっていたでしょう。自民党は多数をとりたい。が、憲法を改正できるような三三〇くらいとれると、そのときは自民党が割れるときだと。田中角栄さんも、中曾根さんも、みんなそういうことをいってきたじゃないですか。

——加藤さんとすれば、もし、割れるなら、いっぽうの旗頭になればいいじゃないですか。加藤さんが出るんじゃなくて、民主党の保守的な羽田、鳩山さんらを引きつけておいて、二つに割る。

**加藤**　まだ、それには時間がかかるでしょうね。そのなかにあるのは、ハト派とタカ派とで区切りをつけないとならんと。それで分かれるのがみんなわかりやすい、とみんな思っているんですが、わたしはちがうと思うんです。むしろ、「大きな政府派」か「小さな政府派」かで、分かれるべきだと思うんです。

——そうなると、加藤紘一と小沢一郎は、政策的には似ていると思われますが。

**加藤**　そこは、まだ整理されてないんですよ。わたしは、小さな政府派だから、年金についても税金は半分、あと半分はみんなが出し合う社会保険システムをやらないと駄目ですよ、と。全部国が老後のお金まで面倒みるなんていうやり方は駄目です、といっているんです。これに対して、自由党は全部税金でやりましょう、と。ものすごい大きな政府なんです。大きな政府か、小さな政府というのは、二つポイントがある。一つは、企業の運営に、政府が口を出すかということです。半国営企業みたいにしちゃうか。これまでの銀行なんていうのは、半国営銀行でしたね。それはやめる。

もう一つ重要な部分は、社会保障の部分です。わたしは自分でやる自助、それから国が面倒をみる公助、それからおたがいに助け合う共助、この三つを噛み合わせるべきだと思う。隙間がいろいろとできますから、どうしてもボランティア、NPO（非営利民間組織）活動を重点をおく。

——加藤さんは、この八月五日に発足した共産党をのぞく超党派の「NPO議員連盟」の代表に就任されましたね。

**加藤**　小さな政府をいえばいうほど、コミュニティー、地域社会とかボランティア活動を重視しなければならなくなります。大きな政府というのが、企業にどこまで配慮するか。社会保障に。そのなかで一番お金のかかる年金を、ぜんぶ国でやってしまえという、これほど大きな政府の主張はないんです。

さっきまだ整理されてないというのは、本当に小沢さん、小さな政府、新保守派なんですか、といいたい。いっていることはちがうじゃないですか、現実政策は。わたしは、そういっているんです。きちんと整理されるには、あと一、二年かかるかもしれない。

――それを押しすすめると、加藤紘一型の発想と、かたや、小沢一郎的考え方になってきますか。対極になってきますか。

**加藤**　大きな政府、小さな政府でいえば、まだはっきりしないんじゃないでしょうか。みんな規制緩和、小さな政府といっている。が、現実的な動きをみると、やはり政治がかなりの面倒をみなければと、サービス合戦に走っているところがありますからね。あえていえば、国民から受けが悪くても、小さな政府でいきましょうと。狭き門をあえて通っていく気力のある人と、ない人にわかれるんじゃないでしょうか。

――でも、気力のないひとが集まって大きな核にはなりえないんじゃないですか。

**加藤**　いや、そのほうが票が集まる。公明党の地域振興券なんか、その典型ですよ。

――大きくいえば、自民党も政界再編のうねりができてくるかもしれませんね。

**加藤**　まぁ、わかりません。わたしは基本的には、与党第一党の自民党と、野党第一党の民主党が組むというのは、政治が見えなくなると思ってます。二大政党で対立して、論議しながら切磋琢磨して政権交代するというのが、なかなか合わない国なんですよ。寄らば大樹、山本七平がいう、空気で物事を決めていく、あえて異をとなえない。それから人と議論するときに、「決してお言葉を返すわけじゃありませんが」といいながら、でないと言葉を返せない風土というのを、どう直すかというのが、政治問題の一番底辺にあると思います。

——総裁選での論戦を通じて、大いに二一世紀の日本について国民にも考えさせるきっかけをつくってください。

# 三　正邪曲直、自ずから分明

政治評論家　俵　孝太郎

平成一二年一月一八日、俵孝太郎氏が発起されて、私の選挙区の上越市で「政教分離を貫く白川勝彦氏を激励する会」が開催された。この「激励する会」をＷｅｂサイトで紹介したところ、俵氏の講演録があったら送ってほしいとの要望が多数寄せられた。これは、私の事務所が作成した講演録に、俵氏から若干の加除をしていただいたものである。

ご紹介をいただきました俵でございます。本日は、「政教分離を貫く白川勝彦氏を激励する会」という催しを企てましたところ、皆様方、新年早々お忙しいなか、また何分にもこの雪国のこの時期でありますから、お足元の悪いなか、かようにたくさんお集まりをいただきまして、主催者としてはなはだ有難く思っております。

ご存じのように、今年は総選挙の年でありますし、そのなかで自自公連立の小渕内閣というものができて、政治についてわかりにくいことがいっぱい起きているわけであります。

本日お集まりいただきました皆様方のなかに、いろいろな宗教団体に属して、それぞれのお立場において、それぞれの信心を大事にしていらっしゃる方がいっぱいいらっしゃると思います。これは人間にとってはもちろん、政治にとっても非常に大事なことであります。それが抜けますと、神をおそれない私利私欲に走る歪んだ政治になってしまう。

## 政治と宗教——近代的な政治における流れ

政治にとって宗教というものは非常に大事なものなのでありますが、ただ一つ具合の悪いことがあります。当たり前の話でありますが、どんな宗教でも自分の信じる宗教が一番正しい。一番正しいなどというものではない。それしか正しいものはない。それ以外は全部間違いだと思うから、そこに信心というものが生まれるわけであります。

ところが日本は、八百万（やおよろず）の神というくらいですから、神様だけでも八〇〇万あるわけでありまして、仏教だって平安時代に八宗（はっしゅう）といわれました。あるいは奈良時代にもうすでに六つの宗派があった。その後鎌倉仏教ができます。

あるいはそこに、明治以降新しい仏教系教団ができる。キリスト教もあれば、イスラム教も、ヒンズー教も、いろいろな宗教が世界中にあって、それが日本にも入ってくる。全部が当たり前のこととして、自分が正しい、自分だけが正しいと考えている。他は間違っているという話になってくる。なってくると今度は、そこに争いがどうしても起きてしまうわけであります。いま世界中で、アメリカとソビエトの対立がなくなったと思ったらいろいろな地域紛争というものが起きて、おかしなことになっているのですが、それはだいたい宗教の争いなのです。今日もパキスタンで大きな爆発があった。これはイスラム教のパキスタンのカラチで、どうもヒンズーのインドが糸を引いたらしいとパキスタンは言うし、インドはそんなことはないと言う。インドで今度何かがあれば、イスラムがやったと言うでしょう。宗教というものと政治というものの絡みには、非常に難しいものがあります。

政治は、利害の調整手段です。年金を掛けている人と貰っている人、掛けている人は掛金が少ない方がいいに決まっているし、貰う方は貰う金が大きい方がいいに決まっている。米をつくっている人は生産者米価が高い方がいいに決まっていますし、食っている人は安い方がいいに決まっています。

政治というものは、やはりいろいろな方々のいろいろなご要望を伺いながら、この辺が折り合いどころかなという話なのです。しかし宗教はそうはいかないのです。キリスト教のいいところも、イスラム教のいいところも、仏教のいいところも、神道のいいところも全部入れて、折り合いをつけるというようなことなどありえない。

例えば私は、浄土真宗の本願寺の門徒でありますが、ここでは地獄もなければ極楽もないという話でありますから、そこはひとつ親鸞さんでいこうではないか。イスラムになれば奥さんを四人持っていいのだから、俺はその面についてはイスラムでいこうではないか。キリスト教では、入信したら洗礼を受けたその日までにやった悪いことは、全部そこで帳消しになるのだから、死ぬ間際にはキリスト教に入って、全部悪いことはそこで帳消しにしてもらって天国へ行こうではないかなどという、そんなつまみ食いみたいなことは宗教では許されない。

政治では、しかしそうしなければみんなが納得できないのです。ですから近代的な政治においては、宗教との間に一線を画しましょう、政治に宗教をあまり持ち込んでもらっては困ります、宗教心は大事ですが、信心は大事ですが、宗教の立場を持ち込んでは困りますという考え方が、いまから二〇〇年、あるいは二二〇〜二三〇年前に、アメリカの憲法（一七七六年）、あるいはフランス革命（一七八九年）で成立しました。

ご存じのように、アメリカという国は、イギリスで迫害をされた、キリスト教の新教の一派のピューリタンというのがイギリスにいたたまれなくなって、イギリスから一度フランスに逃げて、フランスから新大陸に行って新しい国をつくった。だから政治に宗教があまり引きずられるとえらいことになるというのが、骨身にしみてわかっている。

フランスには三部会というのがありました。これはカトリックのお坊さんと、貴族と、市民というのだけれども要するに金持ちと、それが議会をつくる。そのなかで、お坊さんが政治を全部壟断（ろうだん…ひとりじめ）する。そこにカソリックとカルバン派を中心とした新教との対立みたいなものが入ってきて、大虐殺などということが起こる。やはり政治に特定の宗教が絡まってきては具合が悪いというのが、フランス革命の一つの大きな流れであったわけであります。

ですからアメリカの憲法が一七七六年にできる。フランス革命が一七八九年に行われる。そのころから近代民主主義の国家においては、政治と宗教の間には一線を引こうというのが、一つの常識になっていったわけであります。

## 日本国憲法の原則

日本の明治二三年にできた明治憲法にも、そこのところは理念としてはあるのですが、実際問題としてはちょっとあやふやなところがありまして、戦争中、神がかりみたいなこともありました。戦争に負けたときに、マッカーサー司令部が原稿を書いて日本の議会に押し付けて、日本の議会がのんだのですが、そのいまの憲法に政教分離ということははっきり謳われたわけであります。

憲法二〇条。特にその憲法二〇条第一項後段、「いかなる政治団体も、国から特権を受け、または政治上の権力を行使してはならない」。どんな宗教団体でも、国から特別に優遇されるようなことがあってはならない。あるいはどんな宗教団体でも、政治上の権力を持って、政治を自分のものとしてひん曲げて使ってはならない。その宗教だけが得して、それ以外の宗教はひどい目にあいますから、こういうことはあってはならない。これが憲法に盛り込まれた。マッカーサー草案の一九条。それを日本語に翻訳したいまの日本国憲法の二〇条。これは英文ではまったく同じです。

世界には政教分離ではない国があります。例えばホメイニさんが革命を起こして以来のイランという国はそうです。サダム・フセインという男がふんぞり返っている、いまのイラクという国もそうであります。それはそれぞれの国の国民が決めることですから、それぞれの国の歴史と宗教文化を背景として決めることですから、とやかくは言えません。

しかし、日本は一つの近代的な民主主義の国として、それからもう一つはやはり戦争の経験を通じて、政治と宗教の間にはっきり一線を引くということを、戦後昭和二二年（一九四七）五月三日に施行されたいまの日本国憲法においてきめた。ずっとそれ以来五三年間、守ってきたわけであります。

## 公明党は創価学会の自家用政党

誰がどう考えても、公明党というのは創価学会の自家用政党です。白川さんも弁護士だが、公明党の神崎さんも弁護士、浜四津さんも弁護士、冬柴さんも弁護士です。しかしあの人たちは、憲法は国のやるべきことを決めているのであって、国民や国民がつくっている宗教団体のことを決めているのではないのだから、そんなものは関係ないのだという。本当でしょうか。

憲法には納税の義務というものがあります。納税の義務というのは国民に関係ないのだから、俺は税金を納めなくてもいいんだと、そんなことが通りますか。

憲法には義務教育というものがあります。あの義務教育というのは、どういうことかというと、親が子供を働かせてはいけない、少なくとも中学三年を終わるまでは、子供を学校に行かせなければいけませんという、それが義務教育です。最近、義務教育の本旨がわからなくなって、国は子供を教育する義務があるとか、いや先生は子供にいい教育をする義務があるとか、と言う人がいますがそうではない。義務教育というのは、親が子供を働かせないで学校に行かさなければならない義務という意味であります。国とは関係がない。親に与えられた、親に課せられた義務であります。

憲法はなにも国のことだけ書いているわけではないでしょう。義務教育を考えてみても、税金を考えてみても、憲法は国民の義務というものをきちんと決めている。同じように、宗教団体の義務として国から特権を受けてはならない。あるいは政治上の権力を行使してはならない。こう書いてあるのです。

では公明党は、一体どうだったのか。創価学会はどうだったのかというと、平成一〇年八月の朝日新聞の切抜きを持ってまいりました。「秘話・竹入義勝、五五年体制のはざまで」。竹入さんという人は公明党の委員長を二〇何年やった人です。いまは創価学会からボロクソに言われています。二〇何年委員長をやった竹入さんが、天下の朝日新聞に何と書いたか。ちょっと読んでみます。

「創価学会批判の本が出るというので、私（竹入さん）が、田中角栄さんに頼んで仲介に動いてもらった。言論出版妨害問題は、創価学会・公明党にとって田中さんらに対し大きな負目になった」

藤原弘達さんや内藤國夫君、去年相次いで亡くなりました。我々の盟友でありました。わが四月会の藤原先生は顧問であり、内藤君は私と同じ常任幹事でありました。いま、四月会と申しましたが、これは創価学会を批判し、政治と宗教の関係を正そうとする、立正佼成会平和研究所、霊友会ＩＩＣ、あるいは佛所護念会教団、新生仏教教団、眞言宗金毘羅尊流、神道政治連盟の日本の代表的な宗教団体といわゆる文化人がつくっている団体で、私はいまその代表幹事ということをやっております。

内藤さんと藤原さんの本を、闇から闇に何とかして街に出ないようにして全部燃やしてしまおうというので、創価学会に頼まれ、竹入さんに頼まれ、両者一体となって頼まれて田中角栄さんが動いた。いろいろなことがこの竹入さんの回顧録には出てきます。竹入さんは、最後にこういうことを書いています。

「公明党の委員長を引き受けるとき、人事権は創価学会にあると明確にされていた。選挙にしても、人事にしても、党内はみんな創価学会を向いている。創価学会とは違う考え方を持っている私の同調者になったら干されてしまう。公明党は財政、組織の上で、創価学会に従属していた。公明新聞や雑誌『公明』も、創価学会の意向が大きなウエートを占め、部数は学会の意向で決められてしまう。党員数も、前年数値を参考に調整して決めていた。

政治家になって、創価学会との調整に八割以上のエネルギーを取られた。公明党、創価学会の関係は、環状線で互いに結ばれているのではなく、一方的に発射される放射関係でしかなかったように思う」

命令・服従の関係、指令・従属の関係であります。これは、政治上の権力を宗教団体が行使したことになるのではないでしょうか。あるいは竹入さんはこう言っています。これが朝日新聞の一二回の連載の最後です。

「政治がなんらかの利益団体のために、利益を擁護したり、代弁したりする時代は終わりつつある。一つの団体や勢力が政党を支配したり、政党が奉仕したりする関係は、国民が目覚めてきて、あらゆる面で清算される時代になっている」

ちょっと抽象的な言い方ですが、政治が創価学会という一つの利益団体のために、利益を擁護したり代弁したりする時代は終わりつつある。公明党が創価学会によって支配されたり、あるいは公明党が創価学会に奉仕したりする関係は、国民が目覚めてきてあらゆる面で清算される時代になっている。公明党の委員長を二〇何年やった竹入さんがそう言うのです。これほどの証言はあるでしょうか。

そうしたら、彼らはどうしました。ここに「竹入義勝の謀略と欺瞞」という記事のコピーがあります。これは我々の機関誌に載ったのではありません。『聖教新聞』、『公明新聞』に載った記事です。いろいろなことが書いてあります。

「良心に恥じないのか。自慢話や事実の歪曲。本人自身に金をめぐる噂。恩を仇で返す人間失格。学歴詐称。子供は裏口入学させた。政治家として外国へ行くたびにボストンバッグに宝石をいっぱい買ってきて、自分の家に出入りしていた宝石商に細工をさせて、売って銭をもうけた。金返せ。勲章返せ」

ならば、そんな男をなんで二〇何年も委員長にしたのですか。竹入さんの学歴がインチキだなというのは、私どもずっと前から知っていました。彼は航空士官学校卒、政治大学校卒、と議員要覧などに書いていました。政治大学校というのは、藤山愛一郎さんが自分のポケットマネーで、自民党本部のなかで開いていた秘書養成学校のことであります。それが政治大学校。

航空士官学校というのは、立派なきちんとした陸軍の学校でありますから、そこを出たか出なかったかということは同期生に聞けばすぐわかることです。いくら戦争中の水増しであったとはいえ、「違うね、この人は。航空士官学校で、兵隊さんとして、士官学校の生徒が練習に使う飛行機の整備とか、滑走路の整備とかをやっていたのだ」ということは、私どもはそのころから知っていました。

かつて竹入さんの学歴は不透明だと書いたら、公明党や創価学会は口汚く藤原さんや内藤さんを批判しました。学歴詐称なんてとんでもない。内藤や藤原や俵は東大を出ているのか。あれも嘘ではないか、などということを言われた。まだ竹入さんが、池田大作さんや創価学会に信用されていたころは、竹入さんの学歴詐称が嘘だという我々を「嘘つき」と言ってきたのです。ところが竹入さんがちょっと自分たちに気に入らないことを言ったら、「検証、竹入疑惑」とくる。

「金銭問題まみれで何が叙勲か。学歴疑惑も浮上」。浮上もへちまもない。我々、二〇年も三〇年も前からおかしいよと言っている。でもそのときはかばってきた。自分にとって気に入らなくなったら、今度は生まれたときから手が長い、みたいな話になってしまう。こういうのを独裁というのではありませんか。嘘というのではありませんか。

## 政治と宗教には一線が引かれなくてはならない

同じようなことが、実は日本共産党にもあります。日本共産党に野坂参三という人がいました。戦争中、反戦運動を中国共産党と一緒に延安でやったというので、有名な人であります。

この人は何重スパイだったかわからない。中国共産党のスパイだった。ソ連共産党の、コミンテルンのスパイだった。あるいは、どうやら進駐軍のスパイだったのかもしれない。いや身内には、戦前の話ですが、検察の大御所がいてその甥っ子でありますから、日本の公安当局のスパイだったという話もある。

「野坂はスパイではないか」とずっと言われていました。私どもは、彼はおかしいと言ってきた。我々と一緒にそういうことを言った共産党員は、共産党を除名になった。野坂をスパイと言ったがゆえに除名になった人はいっぱいいます。

その野坂さんは日本共産党中央委員会議長、名誉議長として共産党に君臨した。一九八九年にベルリンの壁が壊れて、九一年にソビエト国家体制が崩壊して、ソビエトの秘密警察カーゲーベー（ＫＧＢ）の秘密文書が流出したら、野坂さんがスパイをやっていた金の領収書とかなんとか、ぞろぞろ出てきてしまった。出てきてしまったら、野坂はけしからんと言って、一〇〇歳を越えていた野坂さんを共産党はポイと除名して、野坂さんは汚名のうちに死にました。

しかし野坂はスパイだと言った人間は、依然として除名されたままです。私だって共産党からさんざん罵られて、そのままです。野坂さんをかついで、野坂さんを支えた宮本顕治という人は、いまだに共産党でいばっています。

つまり独裁というのは、そこがいけないのです。創価学会だって竹入さんが池田大作さんの言うことを聞いて、池田さんの言うなりに公明党委員長をやっているころは、学歴で嘘をついてもかばってもらえた。学歴疑惑は戦争中の話です。竹入さんが公明党の委員長をやったのは昭和四〇年代から二〇何年の話です。ずっと後の話です。そのときにもう詐称はあるのです。でも当時はかばったのに、敵対したら生まれたときから泥棒だったみたいな言い方をする。野坂参三だってそうです。

なぜそんなにおかしな人を、あるときはかばい、あるときはやっつけるのか。独裁だからです。自由がないからです。嘘を嘘と平気で言いくるめるからです。そういうのが日本の政治権力を握ったらどうなると思いますか。

私は共産党もこわいと思います。平気でこういうことをやるのですから。創価学会・公明党も似たようなものではありませんか。私は、竹入さんが朝日新聞の回顧録で言ったことは、決して間違いではないと思っています。そのとおりだと思います。

竹入さんは公明党の委員長になりたくてなったわけではない。「お前やれ」と言われたからなったのです。「お前辞めろ」と言われたから辞めたのです。いまの神崎さんだって、浜四津さんだって、きっとそうだと思います。

政党というのはそんなものでしょうか。小渕さんだって、竹下が「やれ」と言うからやったのかもしれないけれども、でも自民党のなかで加藤紘一さんも出て、山崎拓さんも出て、選挙をやって勝ってなったのです。片一方はそうではないのです。選挙なんかやらないのです。どこかからの天の声で決まってしまうのです。天の声で決まって、誰かが気に入らなくなったら、ポイと変えられてしまうのです。

小沢一郎さんと組んで新進党をつくった市川雄一さんなんて、いまだに議会にいますけれども、息をしているのかなんだか、もうものも言わない。これで自自公が潰れたら、神崎さんや浜四津さんはどうなるかわかりはしない。そのときの風でクルクル変わる。そんなものを政党として、政治の担い手として信用することができるでしょうか。平気でその場限りの嘘をつくような人たちを。

彼らにとっては、「信心のためには、嘘も方便とお釈迦様は言ったではないか」という理屈になるのです。「革命のためには、何をやってもいいのだ」こういう理屈になる。

彼らはそれでいいかもしれないが、我々はそれでいいのでしょうか。やはり私は、政治と宗教には一線が引かれなければならないと思う。宗教というのには、絶対者というものがある。政治というのは、先ほども言いましたように相対的なものです。売る人と買う人。納める人ともらう人。相対的な政治の世界に、絶対的な宗教が持ち込まれると、非常にまずいことになる可能性がある。ですから一七七六年のアメリカ建国のときに、一七八九年のフランス革命のときに、人類が経験をしたその教訓として、政教分離というものができた。それは私どもは守らなければならないと思っているのであります。

## あとは野となれ山となれ政治を排す

白川さんも自民党だから、あまり小渕さんの批判をしたら白川さんも困るのかもしれないが、小渕さんという人は、自民党の親玉であるよりも何よりも経世会の番頭です。経世会というのは、田中角栄さんが越山会をつくった。ところがそれを竹下、金丸がひっくり返して経世会をつくった。その流れが小渕さんに来ているわけです。ここはなにも角さんの地元だから言うわけではないのだけれども、田中角栄という人にはそれなりに〝志〟がありました。私は家内の里が新潟でありますから、だから言うわけではないが、田中角栄という人はそれなりに長い日本の将来というものを見ていたと思います。

だから新幹線もつくった。日本列島改造論ということも唱えた。道路もつくった。あの当時の日本には道路がなかったのです。角さんがやったことで、いろいろな論壇の人が「たった二〇人しかいない山に、二〇億かけて道路を通す。けしからん」と言いました。角さんは言いました。

「だってその山にいる二〇人だって国民健康保険の保険料を取っているんだ。その人が、頚城で、あるいは魚沼で雪が降って救急車も行かない。病気になっても病院にも行けない。そういう人でも国民健康保険料を取っている以上は病気になったら入院してもらわなければならない」

入院するためにはヘリコプターを飛ばせばいいではないか。道をつけなくてもいいではないか。しかし吹雪の最中にどうしてヘリコプターが飛ぶのだ。道がなければならない。国民健康保険料を取っている限りにおいて、取られている限りにおいて、加入者は病院にかかる権利がある。国は患者を病院で治療する義務がある。そのためには、たった一人のために何十億かかろうとも、道をつくらなければしょうがないではないか。他に方法があるか。これは私は当たり前の話だと思います。

それはけしからんといろいろな人が言いました。それは雪の降らないところに住んでいる人の話であります。私は母親の里が富山で、家内の里が新潟でありますから、雪国というものはそれなりに知っている。だからあの当時、角さんがそう言ったときに、当たり前だといった。このことに関しては田中角栄を私は支持する、と言った。

今の小渕さん、違うでしょう。そうではないでしょう。小渕さんはついこの間、オレは世界一の借金王だ、といったのです。小渕が借金王なのですか。小渕が借金王だと言うのだったら、小渕に返してもらおうではないか。六〇〇兆。そうではないのでしょう。日本国民が借金王にされたのでしょう。誰がしたのだ。小渕がしたのではありませんか。そうでしょう。なんてことはない。自分が政権を維持するために、金丸さん、竹下さん直伝の利権転がし政治をやるために、国の借金がいくら増えてもかまわないというのでしょう。景気対策、景気対策、景気対策。本当にあれが必要なものであり、意味があるものだったら、とっくの昔に景気がよくなってなければならない。ちっともよくならないのでしょう。ちっともよくならないのになぜ景気対策ばかりをやるのだ。言いたくはないけれども、ひょっとするとそのなかで、うまいことがあるからやっているのではないかと考えざるをえない。

## 福祉のばらまきでよいのか

公明党もそうです。福祉ばらまき。一番はっきりしているのは、今度の児童手当ての問題です。このなかにはいろいろな立場の方がいらっしゃるでしょう。だけど公明党が言ったのは、三人目以降の子供は特に手厚くして、一六まで毎月最高五万円の年金が出るようにしろ。その代わり、扶養家族手当ては全部なくせというのです。一六すぎれば、一七、一八、一九、二〇、二一、二二、浪人しないでも六年ある。一浪は人並み、二年浪人してもしょうがないと思えば、八年ある。その間の扶養手当ては全部カットしてしまって、若い人たちの子供の年金に回すというのです。

サラリーマンは大増税になります、そんなことをやられたら。大学生と高校生の二人の子供をもつサラリーマンがいると仮定します。そうすると奥さんで扶養家族三五万でしょう。子供で、高校、大学へ行ったら四五万でしょう。二人で九〇万でしょう。奥さん入れて、専業主婦控除も入れれば一六〇万でしょう。いま、この一六〇万は収入から消えて、税金は一銭もかかっていないのだが、どーんとその分収入が増えて税金がかかってくるのです。

そして一六歳までの子供がいる家庭にだけお金が配られるのです。それでいいですか。よさそうに思うでしょう。そうは言うけれども一歳の子供だって、一五年経ったら一六になる。一六年経ったら一七になる。いつまでもよくはない。違いますか。

いつまでも子供が一五歳のままで止まっていてくれれば、それはいいけれども、そうはいかない。一五になった子は来年一六になる。再来年一七になったら、どかんと税金がかかってくる。これは目先だけよければいいちょろまかしです。ペテンです。

あの地域振興券というでたらめ商品券。このなかにももらった人がいるかもしれない。いるかもしれないが、いいですか。あの財源は全部赤字国債です。あれは七〇〇〇億円かかりました。全部赤字国債ということは、一〇年経ったら六分の一、一一六六億返すのです。毎年利息を払った上に、二〇年経ったらまた六分の一返すのです。三〇年経ったら六分の一。四〇年経ったら六分の一。六〇年かかって全部返すのです。

あの地域振興券、商品券をもらって、一〇歳の子供があれで親からおもちゃを買ってもらったとする。そのおもちゃの代金を全部払い終わるのは、一〇の子供が七〇になったときの話です。そのときには、小渕さんも神崎さんも浜四津さんもみんな墓の下だ。

いったい何が福祉ですか。ツケを後に回しただけではありませんか。それがたまりたまって六〇〇兆になっている。ですから私はこの演壇の脇に書いてもらった。

「『あとは野となれ山となれ政治』を排す」。あとは野となれ山となれ。いまさえよければいい。はっきり申しますが、いまさえよければいいという宗教などあるのですか。宗教というのは、死んだ後のことを考えるものではありませんか。

魂の平安、キリスト教はそういう。仏教というのは、これはいろいろな解釈があって、ただ基本的には、仏教というのは魂というのはないことになっているのです。なにかわからないところから人間というものがくる。死んでのちも、なにかわからないところに行く。その無というか、広大無辺というか、わからないものを、人間の形になぞらえて、阿弥陀様という。南無阿弥陀仏というのは、そこから出てくる。もちろん南無妙法蓮華経の方にはまた別の理解があるわけであります。それはそれぞれの哲学の問題であります。

でも魂、精神。人間はいかに生き、いかに死ぬか。死ぬことを考えるのが宗教でしょう。なんといっても人間はそのうちに死ぬのだから。私だって年内には七〇になる。数え年はもう去年から七〇です。どうせ先はもう長くはないと思うけれども、私の親はまだ生きていまして数え年の一〇〇です。「親の長生き、子のためいき」と言ってるのだけれども。本当にため息も出る。本音を言えばね。

『どこまで続くヌカルミぞ――老老介護奮戦記』という本を文春新書で出しました。六百何十円で安いから、奇特な方は町の本屋で買って読んでください。そういうと親孝行の宗教団体からまたずいぶん怒られるのだけれども、でも介護の問題・福祉の問題、これは難しい問題です。自分の責任でこれからは生きていくべきだ。それはそうです。私もそう思っています。だけど親が一〇〇になった責任は俺にあるとされても困る。一生懸命養って、一生懸命仕送りをして、一生懸命うまいものを食わせたから一〇〇まで生きたのです。その責任はお前がとって一二〇まで生かせと言われたって、俺も困る。そのとき九〇になってしまうんですから。そうでしょう。

では一体どうすればいいんだ。自分だけがよければいいという考え方ではなくて、出すべき税金は出し、出すべき介護保険料は出し、出すべき力は出しながら、お互いに支え合って、そのなかにはいろいろな宗教の人もいる。ひょっとしたら無神論の人もいるかもしれないけれども、お互い同じ国民ではないか。

そこのところでやるべきことをやっていくのが政治なのに、小渕さんはなんですか。景気対策、日本一の借金王。では六〇〇兆、くやしかったら自分で返してみろというのだ。返せないのでしょう。知らん顔をしているのでしょう。どうせ彼だって、あと三〇～四〇年したら死ぬに決まっている。返さないうちに。返すのは日本の国民です。世界一の借金王なんて気安く言ってもらいたくない。小渕さんのおかげで日本人は世界一の借金国家にされた。どうしてこれから返していきますか。

## 日本の政治が歪んでいく

その六〇〇兆のわずか一〇〇〇分の一ほどだけど七〇〇〇億円は、ばかばかしい地域振興券という、あのばらまきのために消えました。七〇〇〇億円の国会対策費というか、法律を創価学会・公明党に通してもらうために、そうでないと参議院を通らないから七〇〇〇億円を出した。通行手形みたいなものです。駅の入場券みたいなものだ。いま、入場券はいくらだ。一三〇円ですか。七〇〇〇億は高いでしょう、いくらなんでも。六〇年かかって返すんです。そういうのが積もり積もってくる。これは宿業みたいなものです。目先のことだけ。いまさえよければいいと考えて宿業を増やす。これほど宗教と違う考え方はないのではないでしょうか。

こういう、その日ぐらし、日々の現世利益だけにすがる考え方は、実は、もう創価学会の人たちにだって、少ないと思います。例えば児童手当一つ考えても、創価学会の若い人たちは、創価学会の言うこと、公明党の言うことを、いいと思っていないと思います。だって創価学会だって、もうみんな若い人たちは立派になって、サラリーマンもいっぱいいるのです。検事さんも弁護士もお医者さんもいるのです。そういう人たちはやはり子供をそれなりに、専門職にするべく教育をするということになれば、一七、一八、一九、二〇、二一、二二と一番金がかかるときに扶養控除をなくしてしまって、一六歳まで小遣いをやるっていわれても困る。

だけど池田大作さんを含めて、古い創価学会のリーダーたちは、まだ昔ながらの、うちの会員は貧乏で、うちの会員はどうせ大学なんか行かなくて、うちの会員は子だくさんで、お金をばらまけば喜んでと思い込んでいるのです。中学出て一六になればどうせ働くのだから、そこまでは税金バラまいて助ければみんな喜ぶと思っているのです。幹部が考える会員像と、会員自体の生活が食い違ってしまっている。しかし「王様、それは違いますよ」と池田さんには言えないのですね。言ったら「この野郎」と切られるから。竹入さんみたいに「生まれたときから手が長い」にされてしまうから。それが独裁の恐ろしさなのです。

だから政策が歪んでいく。それが政権与党であれば、日本の政治が歪んでいく。ツケは全部国民が背負うことになる。それが私はいけないというのです。土建利権のために、借金をしてでもいいからいらないところにでも道をつくろう。その竹下・金丸、小沢・小渕、この流れもそこがいけないのです。

創価学会員にだって立派な人たちがいっぱいいる。決してみんなが貧乏な暮らしをしているわけではない。ところが「貧乏人だ、うちの会員は」そう思い込んで、むしろ会員をなめきって、金をやれば喜ぶんだろうと思うリーダーが金だけばらまいている。その結果が山のような借金。借金は誰が払うか。これから先、生きていて、収入がある人が払うのです。いま、児童手当を出すことが大事か。本当に子供のことを考えたら、子供が生きている時代に借金を背負わせないようにすることのほうがよほど大事です。

もう少し消費税が上がっても私は仕方ないと思います。三％から五％になって皆さん怒るけれども、スウェーデンは二五％です。デンマークは二二％です。フランスは一九・六％です。イギリスは一七％です。ヨーロッパの国はどこだって一五％以上の消費税を取らなかったら、EUの通貨同盟に入れてもらえないのです。

世界で消費税五％の国というのは日本を入れてたった四つしかない。コスタリカとパナマと台湾と日本。だけど他の国は、台湾も地震がありまして大変でしたが、財政はそんな赤字ではありません。日本は借金六〇〇兆です。それで、これから先いったいどうなのか。こんないまの小渕さんみたいな政治を続けていたら、インフレで帳消しにするしかなくなるのです。

だって六〇〇兆、いま金利が安いからいいけれども、金利が仮に三％にすれば六〇〇兆の利息だけで一八兆。四％とすれば二四兆でしょう。国に入ってくる税金は全部で五〇兆円あるかなしなのです。過去の借金の利払いだけで二〇兆だ、二四兆だ、五％なら三〇兆だと出ていったら、どうやって福祉をやって、どうやって教育をやって、どうやって役人の給料を払うのですか。できるわけがない。

そうなってくれば、借金の利息を払うためにお札を刷って、また借金をすることになる。どんどんお札が増えていって、物価が高くなっていって、貯金は、紙くずになっていきます。我々が老後のことを考えて積んだ年金も紙くずになっていっていきます。そうでなかったら、紙くずにならなかったら若い人たちは借金を返せません。貯金が紙くずになったらどうなるのか。我々が、戦後五〇何年、汗水たらして働いてきたのは、何のためだったかということになります。

ですからどっちへ転んでも、こういう無責任な、あとは野となれ山となれの小渕さん――経世会と、あとは野となれ山となれの創価学会――池田大作さんの握手をした政権というものは、私は続いてはならないと思う。ならないと思うが、いま自民党のなかでそういうことを言っている人は非常に少ないのです。だって小渕さんが総理大臣で権力を持っているのだから。逆らったら大臣にもなれないのだから。

## ある種の恐怖政治

私はそういうような状況のなかで、特にはっきり申し上げる。今日このなかで一二〇〇人ほどの方がお集まりだけれども、このなかにも創価学会がもぐり込ませたスパイが五人や一〇人いると思っている。まあいたっていいのです。演説会ですから。だけどむこうさんが何とか会館でおやりになるところへ我々は入っていけない。こっちは自由で民主的ですから、どうぞどうぞ、いらっしゃい。俵のいうこともお耳障りでしょうが、聴いて帰ってください。その辺にテープレコーダーを忍ばせて一人や二人、三人や五人はいる、このなかにいたっていいのです。いたっていいが、彼らはそんなことを批判者にはさせないのでしょう。これが民主主義ですか。それが言論の自由ですか。それが公平ですか。それが公正ですか。ある種の恐怖政治みたいなものがあります。私はもう年を取りました、一生分働きましたから平気ですが、商工会などが私の講演会などを企画するとすぐ「俵に講演させるな」「あんなやつを降ろせ」、みたいなことを言ってきます。

私には脅迫電話がしょっちゅうかかりますし、警察の警護対象で、ときどき警らのおまわりさんが回ってきてポストのなかに、異常はありませんでした、なんて青い紙が入っています。だいたい異常があったときには手遅れというのが警察のやることで、警察の元締をやった白川大臣の前で言っては申し訳ないけれども、どうも最近の警察というのは後手を踏むことが多くて困るけれど、私はそういう警備の対象になっているくらい、圧迫にさらされながらものを言っているわけであります。

白川さんはもっと大変です。私はどうってことない、この年なんだから。仕事があまりたくさん来すぎて売れっ子になっても、今度は体がもちません。ここらがいいところです。しかし選挙は、票がなかったらどうにもならない。サルは木から落ちてもサルだけれども、代議士は落ちてしまったら代議士ではないのだから、上がらなければならない。上がるためには、しかもこういうきちんとした正しいことを言って選挙に勝つためには、これはもう皆様方お一人お一人の力に頼るしかないのです。

はっきり申し上げますが、世の中には立派な創価学会の人もいます。真面目な創価学会の人もいます。真面目ではないのも上の方にはおりますが、下の方は大部分みんな真面目なんです。でもこの人たちは、日本中で七〇〇万人くらいしかいないのです。選挙で一番たくさん取ったときが、全国で七五五万票です。

日本の有権者は一億人いるのです。創価学会は嫌よという人は九三〇〇万人もいるのです。好きよという人は最大七七五万人。みんな棄権しないで行けば、絶対に白川さんが負けるはずはないのです。

でも、むこうは雨が降っても槍が降っても、戸板に乗ってでも行きます。大作さんのばちが当たるのが怖い人と、マルクス、レーニンのばちが当たるのが怖い人は行きます。こっちは自由な人間ですから、今日は天気が悪いから行かない。今日は相撲の取り組みがいいから行かない。行かない理屈はいくらでもつく。そこをなんとかして行っていただく。なんとかしてお知り合いにも呼びかけていただく。

今日、お越しいただいたなかには、もう長い間、白川さんを苦労しながら支えてこられた方もいっぱいいらっしゃると思います。

## 言うべきことを言った政治家——斉藤隆夫

時間がそろそろなくなってまいりました。私は新聞記者になった。なぜなったか。昭和二八年に大学を出て新聞記者になりましたから、考えてみれば私は新制東京大学の一期生、白川さんは確か一七期生。一六年こっちの方が先輩なのでありますが、私は祖父が政治家でありまして、翼賛選挙で落ちました。ですから子供のころから政治というものを見てきました。なんで日本が馬鹿な戦争になったのか。なんで馬鹿な戦争をやって負けて焼け野原になって、それなりに明治維新以来一生懸命やってきたものがパアになったのか。政治家がだらしなかったからだが、何よりも、新聞がだらしなかったからだ。では言うべきことをきちんと言う新聞記者になろうではないか。政治家になりたい人はいっぱいいますから、そう思って新聞記者になってずっとやってまいった。

ただ、戦争中にだって言うべきことを言った政治家はいるのです。例えば斎藤隆夫という人がいます。戦後まで生きていて、大臣をやりました。昭和一二年の二・二六事件のあとの陸軍を批判した議会での粛軍演説で有名ですが、昭和一五年にも、支那事変が始まって三年経っています、紀元は二六〇〇年と日本中が浮かれているころです、議会で演説をしました。

「満州が帝国の生命線だと言ったではないか。では満州で満足すればいいのに、北支だと言ったではないか。上海だと言ったではないか。支那事変が起きて、南京を占領したらこれで勝ちだと言ったではないか。南京をとったら、今度は武漢三鎮だと言うではないか。武漢をとったら、今度は重慶だと言うではないか。そんなことを言い出したらきりがないではないか。いったいどうするつもりだ」ということを、議会で質問をして、除名になりました。

いままさにそうだと思うのです。公共事業が大事だ。みんな税金を払いたくない。消費税は上げたくない。生産者米価は高くしろ。消費者米価は安くしろ。これは満州みたいなものです。いままでの既得権です。それにもっとプラスして、あれをよこせ、これをよこせ。そうやっていけば、最後に借金の山がたまって首が回らなくなることはわかりきっているのに、止めることができない。

似たようなものなのでありますが、斎藤隆夫という人は、まさにあの戦争をどこかで止めなければ駄目なんだということを昭和一五年に言った。もし昭和一五年に斎藤さんが言ったとおりに、戦争をあそこでやめていれば、もちろん原爆は落ちなかったしアメリカとの戦争もなかった。日本がいったんあそこまでつぶれることもなかった。その代わり軍閥がふんぞり返っていましたから、負けた方がよかったという理屈もないわけではないんですけれども。

その斎藤隆夫という人は、正しいことを言って、そのために議会を除名になります。除名になったけれどもその次の選挙に、翼賛選挙です、憲兵が一人一人取り締まって歩くような選挙です、その選挙に有権者の支持で最高点で当選をしてくるわけであります。

斎藤さんが除名になったときに、斎藤さんという人は民政党という政党の議員でありました。斎藤さんに、除名になるのは気の毒だから「君、ちょっと除名になる前に、自分で自発的に辞めたらどうか。その代わり、補欠選挙とかなんとかで、君を当選させるようにするよ」と、民政党の幹部が斎藤さんの説得をしたけれども、斎藤さんはそれを蹴飛ばして除名の道を選んだ。

説得に行ったやつは誰かというと、残念ながら私の祖父の俵孫一とあともう一人は小泉又次郎という人で、これはどういう人かというと小泉純一郎のおじいさんなんですけれど。

その斎藤隆夫さんという人が、除名になったときに、こういう漢詩を残したのであります。昔、漢文を習った方は簡単に読めると思いますが、

我言即是万人声（我が言は、即ちこれ万人の声）

褒貶毀誉委世評（褒貶毀誉は、世評に委ぬ）

請看百年青史上（請う看よ百年青史の上）
正邪曲直自分明（正邪曲直、自ずから分明）
（注）　俺の言っていることは、みんなが言っていることだ。
誉めたりけなしたりは、世間に任せる。
一〇〇年経って、歴史の上で見てくれ。
何が正しくて、何が間違っていたか。
何が曲がって、何がまっすぐだったか。自然とわかるだろう。

戦争に反対して議会を除名になった斎藤隆夫という人は、こういう漢詩を残したわけであります。残して死んでしまったのならこれはしょうがないのですが、残した斎藤さんが昭和一五年に除名になる。しかし次の選挙で最高点で返り咲いた。但馬、日本海側に面した兵庫県の出石という町でありますが、そこの選挙区の有権者は憲兵に脅かされても軍に脅かされても、新聞に悪口を書かれても、斎藤さんを最高点で当選をさせたわけであります。

まさにこの褒貶毀誉を世評に委ぬと。一〇〇年経たないうちに「乞う見よ百年青史の上」などと言わないうちに、たった二年で有権者の判断で斎藤さんは復活をするわけであります。そして戦後内閣の大臣をやる。

選挙というものは、私はそういうものだと思うのです。橋をつけます。児童手当を配ります。税金は出さないでよろしい。ほしいものは何でもあげます。しかし人間には誇りというものがある。出すのは舌を出すのもいやだけれども、貰うものなら猫の死骸でももらうぞという人には、誇りがない。

小渕さんや池田大作さんや、いまの自民党執行部や公明党は、あまりにも国民をばかにしているのではありませんか。カネさえちらつかせれば、カネの音さえカラカラっとさせれば、国民はくらっとなると思っているのではありませんか。

そうではない。日本国のために何が大事か。民主主義のために何が大事か。政治と宗教のけじめをつけるために何が大事か。あるいはこの赤字国債が六〇〇兆もたまってしまった。借金を返さなければならない。いままたま金利が安いから国債の利払いも少ない。でも金利がまともにならなければ我々は困るのです。長年働いて貯金した人間が困る。年金だって困るのです。

でも金利がまともになったら、その利払いだけでもう国家財政は押し潰されるのです。そんなおかしな状態にしたのは誰だ。小渕が世界一の借金王だ。とんでもない。世界一の借金王になったのは我々日本人だ。我々日本人は小渕のおかげで世界一の借金王にさせられたのだ。違いますか。

それをなおすためには、白川さん、はっきり言って自民党の憎まれ者です、自民党の憎まれ者だが「褒貶毀誉、世評に委ぬ」。誉めるか貶めるか。ぶったたくか名誉を与えるか。これは世間が決めることだ。そして「乞う見よ百年青史の上。正邪曲直自ずから分明」。やはり次の選挙で、皆様方が白川さんを当選させることによって、正邪曲直自ずから明らかになる。そのことが日本国の政治において何が正しく何が間違っているかが自ずから明らかになることであろうと、こう私は信じて疑わないのであります。

白川さんの友人、同志として、このことを皆さんにお願いをしていったんここで締めくくらせていただきまして、引き続き白川さんのお話を皆様方にご聴取いただきたいと思います。ありがとうございました。

## ひるまないこと、そうすれば勝てる（再登壇）

改めて登壇をせよ、というご命令をいただいたわけでありますが、ともかく選挙というものは勝たなければ話にならないのであります。選挙とマージャンとヒコーキは、上がらないと駄目だという話でありまして、特に今度は、前回、平成八年の選挙の場合には白川さんは自民党の総務局長として、中央にあって日本全体の選挙の采配をふるいながら、しかし比例で戦われたわけであります。今度はいわゆる選手交替で、小選挙区でのやはり初陣になるわけであります。

中選挙区時代、それなりに高島先生と白川さんとは、地域も違いますしそれぞれのごひいき筋があった。それぞれの自由民主党のなかにもグループがあったわけでありますが、今度はもうたった一人で公明党・創価学会がくっついた元社会党の、民主党の人と戦わなければならない。そこへ共産党も絡むかもしれず、何が出るかわかりません。小選挙区ですから、勝つか負けるかしかないわけであります。一着になるしかないわけであります。先ほども申しましたが、あるいは白川さんもおっしゃいましたが、むこうにはやはり大変な、頼んだか頼まれたんだか押しかけたんだか知りませんが、創価学会の助っ人がついてワーワーやるでありましょう。

皆様にお願いをしておきたいのでありますが、きっとむこうの陣営のしかるべきところには、長野ナンバーや新潟ナンバーや、ここは長岡ナンバーのはずなのですが、富山ナンバーや下手したら東京ナンバーや、なにわナンバーや、わけのわからない全国から外人部隊がわーっとやってきて、白川さんの攻撃、非難中傷、いろんなことをやるでありましょう。

いままで皆様方は、そう言ってはなんでありますが、あまり汚い選挙が行われない品のいい地域で選挙をやってこられた。かつてはいろいろありましたが、ここしばらくは穏やかに紳士的に選挙をやってきた。今度はきっと皆様びっくりなさるでしょう。がらの悪い選挙になったもんだとそう思わせて、皆様方の足をすくませるのが相手方のねらいであります。

先ほども申しましたが、日本には有権者が一億人います。逆立ちしてもひっくり返っても、公明党が取った票は全国で最高七七五万票しかないのであります。九三〇〇万人は、あの人達に投票をする気がない人たちであります。東京とか大阪とかいう彼らの強いところでもそうなんですから。この新潟の六区というところでいうならば、もう本当にむこうの支持者というものは、そう言ってはなんですけれども、外人部隊が来て掘り起こせる票なんていうものは知れたものであります。

皆様方がひるまずに、皆様方がそういうものにひっかき回されずに、普通のことを普通にやっていただけば絶対に勝てる。一番怖いのは、皆様方に恐怖感を与えて、皆様方が言うべきことも言えない。動くことも動けない。そういうようなことをやって、皆様の足がすくんだときが一番怖い。

これははっきり申し上げますが、もし皆様方のさまざまな合法的な活動を妨害するものがいたら、どしどして警察におっしゃってください。あるいはまた、おかしな車がやってきて戸別訪問などをやったら、どしどし警察におっしゃってください。白川さんは警察の親玉を大臣としてやったことがあるのであります。むこうもなかなか警察とは仲がいいようでありますが、道理のある訴えがきちんと行われたら、それは日本の警察ちゃんとやってくれます。

そうすれば彼らもそんな無法はできないでしょう。こっちも無法はやってはいけませんが、むこうが人海作戦で、外人部隊を繰り込んで威圧的な行動をやる。本当に選挙車をぼこぼこにされたとか、自転車をどぶに捨てられたとか、ポスターをはがされたとか、東京なんかで激しい熾烈な選挙をやればそういうことがしょっちゅうある。誰がやるのかは知りませんよ。しかし誰かを非難する人が必ずやられるのなら非難される方がやったのかなあと、こう思わざるを得ないようなことがある。今度はそういうことがあるでしょう。それにめげず、それに恐れず、ひるまず、正面から戦えば、むこうがあくどいことをやればやるほどこっちの株は上がっていくわけでありますから、自信を持って戦っていただきたい。

もし選挙になって、お声がかかれば私も老骨にむち打って、いくらでも回ることはやぶさかではないのであります。皆様方のお声がかかって、私がまた選挙中に来ることができるようになることを大いにこちら側からもお願いをしたい。

ぜひ白川さんのために、悪辣ないろいろなことがあると思いますが、それにひるまないこと。そういうものに恐れていて、そういうものにひるんでいて自由というものは守れない。思想の自由も言論の自由も政治活動の自由も守れない。やはり自由を守るということは、自由を侵そうとするものに対する戦いである、ということをぜひ皆様方ご認識いただくように。

それからもう一つ申し上げますが、実は自民党のなかに同じような考えを持っている人はいっぱいいるわけであります。考えを持たない人もいるわけでありますが、これは実は少数です。

白川さんのような考えを持つ人をたくさん当選させて、小渕内閣を退陣させる。そうして、土建予算と自称福祉予算のバラまきではなく、国民が公平に扱われ、みんながほどほどに不自由しながらでもほどほどに楽しく暮らせる。そして何より、自由で伸び伸び暮らせる。そういう世の中をつくりたいもんだと思います。無責任なその日暮らしの、ごく一部の者だけがいい思いをする。そしてごく少量の者が威張り返る。そういう日本を根本から改めたいと思っているのであります。

# II

# 「自自公」の憲法論的批判——政教分離原論

# 一　自公連立内閣は、憲法二〇条に違反する

平成一一年八月八日テレビ朝日「サンデープロジェクト」に、私は小林興起・平沢勝栄代議士と共に出演した。そこで私が自公連立は憲法に違反すると発言したところ、多数の問い合わせが殺到した。私は平成七年に発表した論文をもとにしてこの論文を書き下ろし、国会議員・関心のある方々・私の後援会に配付した。私の政教分離の基本的考え方を述べたものである。今回、若干の加除訂正を加えた。

## なぜ、いま、政教分離を問うのか

昭和四五年の藤原弘達氏の著書『創価学会を斬る』をめぐる言論妨害事件以来、公明党と創価学会との関係が何度も国会で問題にされました。その都度、創価学会は政教分離すると言ってきました。しかし、多くの国民はこれに疑問を持ってきました。

平成五年八月一〇日細川連立政権が誕生し、創価学会＝公明党は念願の政権参加を果たしました。この前後の創価学会の最高実力者―池田名誉会長のはしゃぎようはたいへんなものでし

た。池田大作氏は、平成五年八月八日創価学会の長野研修道場で行なわれた本部幹部会において次のように発言しました。

「皆さん方も頑張ってくれた。すごい時代に入りましたね。そのうちデエジンも何人か出るでしょう。ね、ね、もうじきです。ま、明日あたり出るから。あの、みんな、あの、皆さん方の部下だから。そのつもりで」

この発言は、多くの人々のひんしゅくを買うと同時に大きな不安を与えました。これを契機に政教分離の問題について国民的議論が巻き起こりました。国会でも多くの国会議員がこの問題をとりあげ、公明党と創価学会の関係は憲法上疑いがあると政府を追及しました。

平成一一年六月二一日小渕恵三内閣総理大臣は、公明党との連立内閣をつくりたいと表明しました。これを受けて公明党は七月二四日党大会において連立内閣をつくることに合意することを決定しました。このことにより自公連立内閣が誕生する可能性が極めて高くなり、長い間政教分離問題に関心を持ってきた人々から強い危惧と反対の声が発せられました。また国民の間に強い疑念が持たれています。本小論は、憲法二〇条を中心とする政教分離の原則を明らかにし、自由民主党と公明党が連立内閣をつくることの憲法上の問題をも明らかにしようとするものです。

## 政教分離の原則とは

なぜ政教は分離されなければならないのでしょうか。なぜ公明党と創価学会の関係が問題にされるのでしょうか。それは、信教の自由を保障するため、憲法が政教の分離を定めているからです。

創価学会という宗教団体の存在それ自体は、①「思想及び良心の自由は、これを侵してはならない」（憲法一九条）②「信教の自由は、何人に対してもこれを保障する」（憲法二〇条一項前段）③「集会、結社及び言論、出版その他一切の表現の自由は、これを保障する」（憲法二一条一項）などからみて、当然のことながら憲法上何の問題もありません。

宗教団体である創価学会が、憲法の範囲内で政治活動をすることもそれ自体何の問題もありません。それは憲法が基本的人権として保障するところであり、憲法を尊重する私たちが問題にする訳がありません。

問題はそこから先です。宗教団体の政治活動には、憲法上の制約があるのかないのかということを問わなければならないのです。

憲法は、まず「信教の自由は、何人に対してもこれを保障する」（憲法二〇条一項前段）と定めています。これが信教の自由に関する大原則です。本来ならばこの大原則を明らかにするだけで十分なのですが、憲法はさらに五つのことを定めています。

〈政教分離の原則〉

①「いかなる宗教団体も、国から特権を受けてはならない」（憲法二〇条一項後段）

②「いかなる宗教団体も、政治上の権力を行使してはならない」（憲法二〇条一項後段）

③「何人も、宗教上の行為、祝典、儀式又は行事に参加することを強制されない」（憲法二〇条二項）

④「国及びその機関は、宗教教育その他いかなる宗教的活動もしてはならない」（憲法二〇条三項）

⑤「公金その他の公の財産は、宗教上の組織若しくは団体の使用、便益若しくは維持のため、これを支出し、又はその利用に供してはならない」（憲法八九条）

これが、憲法の定めている政教分離の原則です。

いずれも公権力と特定の宗教団体との癒着を極めて具体的に禁止しています。②を除く他の四つは、権力が特定の宗教または宗教団体と癒着することを、権力の側からとらえて禁止しています。一方、②の「いかなる宗教団体も、政治上の権力を行使してはならない」という規定は、特定の宗教団体と権力との癒着を、宗教団体の側からとらえてこれを禁止しています。

## なぜ、政教は分離されたのか

信教の自由を考える場合、内外の歴史を鑑みれば、特定の宗教や宗教団体に対する禁止や弾圧を禁じることが本来最も大切なことです。しかし、このような規定を何も設けずに政教分離の原則を極めて具体的に設けたのはなぜなのでしょうか。

かつてのキリシタン弾圧のようなことは、「信教の自由は、何人に対してもこれを保障する」という大原則を明らかにすることによって、必要にして十分に排除できると考えたからです。憲法は、さらに一歩踏み込んで信教の自由を実質的に保障するために、政教分離の原則を定めたものと解さなければなりません。

それでは、なぜ、憲法は権力と宗教団体との癒着を禁止したのでしょうか。特定の宗教団体と権力が癒着した場合、その宗教団体は他の宗教団体に比べ優越的な地位を得ます。優越的地位を得た宗教団体は、宗教活動や布教活動において有利な立場にたつことになり、その結果、他の宗教団体の宗教活動や無宗教の人々の自由が侵されることになります。このことは歴史の教訓として明らかなことです。

憲法は、信教の自由の保障に万全を期すため、特定の宗教や宗教団体への禁止や弾圧を排除することはもちろんでありますが、権力と特定の宗教や宗教団体が癒着することを禁止したのです。憲法は、法律上や予算上の癒着はもちろん、事実上の癒着もこれを禁止していると解すべきです。要するに、特定の宗教や宗教団体が優越的な地位に立つことを禁じたのが政教分離の原則なのです。

## 政治上の権力の行使とは…

「いかなる宗教団体も、政治上の権力を行使してはならない」とは、具体的にはどのようなことを禁止しているのでしょうか。

国家権力は、立法権・行政権・司法権に分けられます。中世のヨーロッパの教会が行なっていたように、現在の日本においてある宗教団体がそのままの形で立法権や行政権を行使することは憲法上明白に禁止されていることであり、およそ考えられません。憲法は権力が特定の宗教や宗教団体と結びつくことを具体的に禁止しているので、仮にある宗教団体が権力を簒奪しても憲法上何もできないのだから、この規定は意味のない規定であるという学説さえあります。しかし、憲法を尊重する立場からはこのような解釈はとうてい採りえません。

現在の日本において、ある宗教団体がそのままの形で立法権や行政権を行使することはクーデタでも起こさない限りできません。仮にそのようなクーデタが成功したとしても、憲法上は絶対に認められません。しかし、ある宗教団体が実質的に支配する政党が、立法権を行使することはできます。また議院内閣制のもとでは、議会の多数派は内閣総理大臣を指名することができ、行政権を事実上支配できます。その多数派の政党が事実上ある宗教団体に支配されていた場合、憲法上何の問題もないといえるのでしょうか。

「いかなる宗教団体も、政治上の権力を行使してはならない」とは、まさにこのような状態を想定し、これを禁止したものと私は考えます。現にこのような学説もあります。

## 宗教団体の政治活動の限界

いかなる宗教団体もひとつの結社として政治活動をすることは、憲法で保障されています。しかし、一方、いかなる宗教団体も政治上の権力を行使することを憲法は禁止しています。問題は、宗教団体の政治活動の憲法上の制約もしくは限界は何かということです。私は、ある宗教団体が実質的に支配する政党（以下、宗教政党といいます）を組織し、国政選挙に候補者をたてて選挙に臨むことは憲法上禁止されていると考えます。

なぜでしょうか。それは、いかなる政党も国政選挙に出る以上は、権力獲得を目指すからです。宗教団体が直接であれ間接であれ、権力を獲得しようという行為こそ、まさに憲法が禁止していることなのです。その宗教政党から何人当選者がでたということは本来関係ありません。ある宗教政党が政権を単独で獲得するためには、衆議院で過半数以上をとらなければなりません。しかし、連立政権の場合ならば何も過半数をとる必要はありません。この場合でもその宗教政党は、国家権力に大きな影響力を行使できます。宗教団体は宗教政党を介在させることにより、国家権力を直接掌握することもできれば、国家権力に対し大きな影響力を行使することもできます。

憲法は、宗教団体がこのようにして政治上の権力を事実上支配することを禁止しているのです。ある宗教団体が国家権力を事実上支配した場合、その宗教団体は優越的な地位を得ます。法律上であれ事実上であれ、特定の宗教団体がこのような優越的な地位を得ることを防止するために、憲法は政教分離を定めたのです。

## 自公連立内閣の違憲性

公明党が創価学会に実質的に支配されている政党であることは、国民衆知の事実です。その証拠は山ほどあります。何よりも創価学会の会員は公明党が創価学会党であることを身をもって知っている筈ですし、ほとんどの人が生き証人です。ちなみに池田名誉会長の口ぐせは「天下を取る！」だそうです。このことに象徴されるように、創価学会＝公明党には政教を分離する気など最初から念頭にないのです。政教分離をことさらに口にするのは、憲法が政教一致を禁止しているからであり、世を欺くための方便にすぎません。

以上を要約すれば、公明党は政教分離を定めた憲法に違反する政党です。政教分離の原則に反する政党と自由民主党が連立内閣をつくるということは、自由民主党がその意思により政教分離を踏みにじることになり、国民から強い反対を受けることは必至です。

## 民主主義を守るために必要な政教分離

ちなみに政教分離は、信教の自由を守るために絶対に必要なことはもちろんですが、民主主義を守るためにも必要なのです。わが国の憲法の政教分離の原則は、アメリカ憲法の強い影響を受けて定められたものですが、アメリカの判例法理においてこのことが強調されています。

政治的意見の相違は、民主政治の建前に即していえば、何が公共の福祉であるかについての意見の対立です。異なる意見といっても、それは互いに事実をつきつけ、理性に適った議論をつみ重ねることにより、正しい結論に達することが可能ですし、また、妥協も可能です。最後まで意見が対立した場合、多数決によって決することが許される問題です。

しかし、宗教的信条は、人の内面的確信のみに根拠づけられるものです。宗教的信条はその真否を世俗権力の前において証明する責務を負う必要がありません。言いかえれば宗教の自由は、証明できないことを信ずる自由なのです。魂の救済に関する宗教的信条は絶対的に自由であり、また自由であるべきものですが、それは内面的確信ですから独自固有にして排他的・非妥協的という必然性を持っています。

政治的な意見の対立に宗教的な対立が持ち込まれ、これがからみ合うと、その政治的意見の対立は強烈なものとなり、調整の余地のない固定的な対立となり、民主主義が破壊されるという理論です。興味深い理論です。

具体例をあげます。平成八年の総選挙で自由民主党は、新進党は創価学会党であるという大々的なキャンペーンをはりました。このため創価学会を宗教的理由によって支持しない、また、嫌悪する人は、新進党の理念や政策を他の政党のそれと比べて支持しないのではなく、創価学会党であることを理由に支持しなかった人が相当ありました。これは新進党にとって不幸だったというだけではなく、日本の民主主義にとって不幸なことだったと思います。

しかし、信仰という人間の魂にとって極めて大切な問題である以上、このようなことは避けられないのです。このような事態が起きないように、民主主義を守るためにも政教の分離がなされなければならないのです。

## 政教分離をしないと宗教が堕落する

また、政教を分離しないと、宗教そのものが堕落する。これもアメリカの判例法理のひとつです。

「本来、礼拝は神に対する愛から捧げられ、入信を誘う布教伝道は、『光と明証』にもとづく説得により行なわれるべきであるが、これらの宗教的営為の背景に世俗政治権力の威信と権威が控える時、一方において、人民の『信じるか、信じないかの全き自由』が奪われるとともに、他方において、宗教の側においては、ただ神に対する愛のみによって人を礼拝に導き、ただ光と明証のみによって入信させる熱意と、それどころか、その力量そのものが次第に失われて行くことになるのである。」

これも、具体例をあげて考えてみましょう。公明党は地方議会に多数の議員を持ち、地方自治体に大きな影響力を持っています。これらの地方議員は、地方自治体の公共事業の請負や参入に便宜をはかっています。また公営住宅への入居や生活保護認定などのために特に精力的に活動しています。

このような活動そのものは、これに関して対価を受け取ることをしなければ違法とはいえません。またこのような活動を利用して創価学会に入信させたからといって、金品を受け取った訳ではありませんから、収賄罪に問われることもありません。しかし、このような世俗的利益を武器として信者を獲得することは、宗教的努力による布教活動ではありません。宗教的努力によらない布教活動は、長い目でみると必ずその宗教を堕落させることになります。

公明党と創価学会の関係については、政教分離の観点から多くの国民が長い間疑問視し、強い批判をしてきました。このような批判がある場合、普通の健全な感覚を持った宗教団体ならば、そのような問題視される活動を自重するでしょう。しかし、創価学会はこのような疑問や批判に一切耳を傾けることをせず、口では政教分離をしているといいながら、その活動をますます強めてきました。創価学会の会員にとって、政治活動と選挙運動は宗教活動そのものだといわれています。創価学会は公明党という世俗上の武器を持たなければ宗教団体としてやってゆくことができない、寂しい悲しい宗教団体だと指摘する人もいます。

宗教の健全な発展のためにも、政教分離されなければならないということを、宗教界はもちろん国民全体で考えてゆかなければなりません。

## 二　政教分離原則を確認する

このインタビュー記事は『週刊仏教タイムズ』平成一一年一一月四日号・一一日号に掲載されたものである。聞き手は乙骨正生氏。

私が前掲論文「自公連立内閣は、憲法二〇条に違反する」を発表したところ、公明党関係者から私の名をあげて多くの反論がなされた。私からみれば、私の主張をよく咀嚼（そしゃく）しないものであったり、曲解しているという感がしたが、念のため再反論をしようと考えていた。丁度そのころ、このインタビューが行われた。私が再反論しようと考えていたことが、ほとんどここに載っている。あえて改めて論文を書く必要はないと考えた。

なお、公明党の私の前記論文に対する反論は、同党発行の『誤れる「政教分離」論を制す』と題するパンフレットを参照されたい。


――従来から白川代議士は、創価学会と政教一致の関係にある公明党の政権参画は、「いかなる宗教団体も国から特権を受け、または政治上の権力を行使してはならない」との、憲法二〇条一項後段の「政教分離」規定に違反すると主張されています。これに対して創価学会・公明党は、昭和四五年の言論出版妨害事件を契機に、創価学会・公明党が掲げていた「国立戒壇」論や「王仏冥合」論が憲法に違反するとして国会で問題になった時に出された政府見解や内閣法制局長官の答弁を引用して、憲法二〇条一項後段の「政教分離」規定は、国家と宗教の関係、あるいは国家権力と宗教団体の関係であって、宗教団体と政党すなわち創価学会と公明党との関係ではないと反論。白川代議士の主張は誤りだと大々的に宣伝しています。これについてどう思われますか。

**白川**　まず第一に指摘したいのは、内閣法制局長官の答弁内容がどういうものであるかということです。平成五年の大出長官、そして平成七年の大森長官の答弁を読んでみると、一般論としての宗教団体の政治活動の自由についての言及はあるが、創価学会と公明党の関係を論じているわけではないんです。宗教団体に政治活動並びに選挙運動はできるかと問われて、それは結構ですと答えているに過ぎない。また、宗教団体の推薦を受けた人物が国務大臣に就任するということについても、法的には別人格ですから、必ずしも「政教分離」原則に違反するものではないと言っているんです。ところが、創価学会・公明党は、法制局長官の一般論としての答弁を、あたかも創価学会・公明党の関係について発言したかのように我田引水し、鬼の首でも取ったかのように宣伝しているのです。

そもそも創価学会・公明党は、憲法二〇条一項後段の解釈について、これを国家と宗教の関係だと規定していますが、その解釈が妥当なのかどうか、きちんと検証する必要があると私は思っています。

創価学会・公明党は、憲法二〇条一項後段の「政教分離」原則を、国家と宗教との関係と位置づける理論的根拠として、条文にある「政治上の権力」とは、裁判権や徴税権、警察権などの「統治的権力」を意味すると主張している。したがって、これは国家権力だと言うんです。しかし、日本国憲法を解釈する上での重要なメルクマールであるマッカーサー草案に照らしてみると、そこには次のように書いてあるんです。

"No religious organization shall receive any privileges from the State, nor exercise any political authority"

「政治上の権力」に該当する部分には"political authority"とあります。これは「政治上の権威」を行使してはならないという意味と解釈できます。創価学会・公明党が言うような、国または地方公共団体がもっている「統治的権力」の行使を禁止するという意味ではありません。

もし、「統治的権力」を指すのであれば、その場合は"political power"と書かれなければならない。したがって「統治的権力」の利用を禁止するものだという創価学会・公明党の主張は語彙の解釈という点から見てもおかしい。

——憲法の「政教分離」の規定を踏まえるならば、宗教団体が「統治的権力」を持つということ自体、そもそもありえないと白川代議士は主張されていますが。

**白川**　考えてもみてください。厳格な「政教分離」を求める現憲法のもとで、特定の宗教団体が徴税権・警察権・裁判権を国から委託され、行使することなどあり得るはずがありません。裁判は裁判所が専決することになっています。税金の徴収を国が特定の宗教団体に委託するなどということはありえない。もし、創価学会・公明党の主張を額面通り受けとめるならば、憲法二〇条一項後段の規定は、なんら実効性のない、意味のない規定ということになってしまう。そうした点から考えても、創価学会・公明党の解釈が正しいとは言えないと思います。

——こうした憲法の「政教分離」原則についての議論が、憲法学界では全く行われていないという点も、問題ですね。

**白川**　そうなんです。憲法学界の実状を端的に言わせてもらうならば、創価学会と公明党との関係を想定した上での憲法論議がまったくといっていいほどなされていない。したがって、創価学会と公明党との関係をきちんと把握したうえで憲法の「政教分離」の解釈をどうするかについて、きちんと検証、考究した論文がないんです。いわば教科書がない。にもかかわらず創価学会・公明党は教科書がないこと、すなわち創価学会・公明党の関係を検証した上で憲法論議がなされていないという事実を奇貨として、憲法の「政教分離」についての解釈は、国家と宗教の関係とするのが憲法学界の通説であり、この問題はすでに決着済みだと主張している。これは全くおかしな話です。

――もとより憲法学界の意向や政府見解、内閣法制局の見解は、憲法を解釈する上での指標であることは間違いありませんが、最終的な解釈ではないわけですから、政府見解や憲法学界の通説を「錦の御旗」のように振りかざすこと自体、おかしい。

**白川**　最終的な憲法解釈はなにかと言えば、最高裁判所の判例です。最高裁判所が、創価学会という特定の宗教団体に実質的に支配されている公明党という政党が政権に参画することが、憲法に抵触するかどうか、その是非について結論を出した時に、法律的には決着がついたということになるわけです。内閣法制局長官の答弁、それも創価学会と公明党の関係をストレートに答えているわけでもない答弁を金科玉条の如く振りかざし、あたかも最終決着であるかのように主張する創価学会・公明党の姿勢は、憲法論の上から言っても間違っている。

私が、公明党の政権参画は憲法二〇条に違反していると指摘すると、異常とも言えるほど過敏かつ過剰に反応するのは、それだけ痛いところをつかれているということではないんでしょうか。

――白川代議士は、九月末に放送されたテレビ朝日の『朝まで生テレビ』に出演され、創価学会の西口浩広報室長あるいは公明党の白浜一良参議院議員、遠藤乙彦、北側一雄両代議士らと、直接、「政教分離」問題について討論されましたが、今後、国会の内外でもこうした議論が大いになされる必要があるのではないでしょうか。創価学会・公明党は大きな媒体をもっていますし、巨大な金権力を背景に学界や世論を操作する力をもっている。放っておくと創価学会・公明党の憲法解釈が、既成事実化してしまうおそれがある。日本における「信教の自由」と「政教分離」の原則を守っていく上で、この点はゆるがせにできない大きな問題だと思いますが。

白川　私は議論しています。また、自民党のなかでも同じような意見をもっている人はいっぱいいますが、今後、国会での論戦という点では、野党がこの問題をどう考え、どういう形で問題提起するかということにかかっていると思う。

おそらく野党は創価学会・公明党に関する「政教分離」問題を取り上げると思います。ただ、その時に注意してほしいのは、この問題は決して打算的な思惑でやってはならない、損得は抜きで考えて欲しいということです。

というのも、従来、創価学会・公明党の関係を含む「政教分離」問題を取り上げる政治家の姿勢に問題があったからです。創価学会・公明党の存在が自らにとって不利な時は、「創価学会と公明党は政教一致であり、憲法違反だ」と批判する。ところが、逆に創価学会・公明党が擦り寄って来ると、途端に「政教分離」問題を不問に付す。極めてご都合主義的というか打算的な対応をしてきた事実がある。その結果、創価学会・公明党のマキャベリスティックな戦略に籠絡されてしまった。この問題を取り上げる以上は、しっかりとした襟度をもってのぞむ覚悟が必要でしょう。

私は、憲法一九条の「思想及び良心の自由は、これを侵してはならない」という規定と、憲法二〇条の「信教の自由」の保障は、基本的人権を保障する一連一体の規定だと理解していますが、この条文は、日本国憲法の基幹であり、わが国は自由主義体制でいくということを宣言した重要な条文だと考えています。したがって、「信教の自由」を担保する「政教分離」原則について、きちんとした意見が言えるかどうかは、政党ならびに政治家にとって、真に自由や人権を守る政党であるか否かのリトマス試験紙だといっても言い過ぎではないと思います。

ですから、その点をきちんと踏まえた議論がなされることを期待しています。

——今回の自・自・公連立政権の発足に際しても、創価学会・公明党は非学会員の続氏を入閣させるなどマキャベリスティックな動きを展開しています。

**白川**　学会員ではない続訓弘氏を総務庁長官に登用したという点ですが、これは各種の世論調査の結果に示されているように、国民の間に自・公連立に対する批判、アレルギーが非常に強い、また自民党内にも学会員の入閣を危惧する声があるので、非学会員を登用することで批判の矛先をかわそうという狙いなんでしょう。しかし非学会員が登用されたからといって、政教一致体質が変わったわけではない。したがって国民の皆さんは、こうした動きに幻惑されることなく、事の本質をよく見極めていって欲しいと思います。おそらく、創価学会・公明党としては、続さんの入閣で地ならしをした後、学会員を大臣に送り込むという二段構えの戦略を取るつもりなのではないですか。

それと政権に参画したとたんに公明党が、全日仏や新宗連などに対し、さかんにアプローチしていることを、私は、とても危惧しています。というのも、これまで「邪宗・邪教」と忌み嫌い、相手にもしてこなかったにもかかわらず、政権参画を契機に、突然、「信教の自由」を保障するので交流しましょうと言ってきているわけですが、政権入りと同時にそうした行動をとること自体、極めて傲慢というか、居丈高になっている感じがするのです。

実際、私と知己の教団関係者は、「公明党は政権党です。その政権党と皆さん交流しなくていいのですか」と恫喝されているように感じたと話していました。

まさにこういうことが、"political authority"の行使形態の一つと言えるのではないでしょうか。

――自・自・公連立政権の発足を受けて宗教者に望みたいことはありますか。

**白川**　創価学会・公明党の問題を含む「政教分離」問題について、私どもが真剣に取り組むのは、いまの日本にとって自由や人権が重要であり、これを守らなくてはならないと思うからこそやっているのであって、宗教団体から頼まれたからやっているというようなレベルではありません。

そうした姿勢に関連して率直に言わせていただければ、「信教の自由」にストレートに結び付く問題であるにもかかわらず、「政教分離」問題に取り組む宗教者や宗教団体の姿勢が脆弱のように思われます。教団幹部あるいは信者のかたがたと話す機会もありますが、正直、熱いものが感じられないのです。

もし、この問題で立ち上がることができない、団結することができない宗教者もしくは宗教団体があるとすれば、必ず将来その責任を宗教者の内部からも問われる時が来るでしょう。いまこそ宗教者は自らの生命線である「信教の自由」を守るためにどのような行動をすべきか、真剣に考究し立ち上がるべき時なのではないでしょうか。私にあえて言わせていただきたい。

「すべての宗教者、団結せよ！」

# 三　小渕総理の見識を疑う

雑誌『現代』平成一一年一〇月号より【インタビュー・構成／乙骨正生】

——自民、自由、公明の三党の合意によって、九月末にも公明党が内閣に参加する見込みとなりました。かねてから、創価学会・公明党批判の急先鋒として発言をしてきた自民党代議士として、今回の合意に対する見解をお聞かせください。

白川　私は創価学会批判の急先鋒というわけではありません。政教分離という問題については厳格に考えるべし、ということを主張し、行動してきただけです。ただ、「自公連立政権をめざす」という小渕総理の発言を最初に知ったときには、率直にいって、総理の見識を疑いました。周知のように細川政権は七％の国民福祉税構想を契機に下り坂に入った。橋本政権は佐藤孝行代議士を総務庁長官に起用したことが裏目に出た。そういう観点から、この「自公連立」

は小渕内閣の命取りになりかねない問題だと思います。

――先頃、「自公連立内閣は、憲法二〇条に違反する」と題する論文を発表されましたが、あらためて、公明党の政権参加の何が問題なのか、説明願います。

白川　憲法二〇条には、「いかなる宗教団体も、国から特権を受け、又は政治上の権力を行使してはならない」と明記されています。つまり、宗教団体が事実上支配する政党が政治権力をつくる、または権力に参加することを禁じているのです。多くの国民は、創価学会と公明党の関係が事実上の支配関係にあると見ています。私もそう思います。よって、公明党が政権に参加することは政教分離の原則を定めた憲法二〇条に違反するわけです。

――かつては自民党も、新進党・創価学会に対する政教一致批判のキャンペーンを繰り広げていましたが。

白川　政治家に限らず、人間は変節したり、ウソを言ったりすることが一番いけません。平成五年に非自民連立政権が誕生した時、自民党は、創価学会・公明党の政教一致問題を厳しく批判し、池田大作名誉会長の証人喚問まで要求した。その自民党が一転して「自公連立」政権を推進しているわけですから、多くの国民は納得できないでしょう。

――創価学会は、平成五年に制定した「今後の政治に関する基本的見解」のなかで、衆議院の小選挙区では「人物本位」で支援を決めるとしています。その基準の一つは創価学会に対する理解度であると秋谷栄之助会長は明言している。この発言によって自民党議員は創価学会の選挙協力を期待して、「自公連立」政権に反対する動きが広まらないとの指摘もありますが。

白川　創価学会票というのは「禁断の果実」なんです。昨年の参議院選挙で公明党は七七五万票を獲得しました。これを単純に三〇〇小選挙区で割れば一選挙区二万五〇〇〇票になる。選挙での損得勘定を考えれば、この票は大きな制約になる。しかし、政教分離というのは自分の選挙にとって有利だとか不利だとか、自分の党にとって有利だとか不利だとかというレベルの問題ではありません。憲法が定めた大原則なんです。選挙で選ばれた国会議員に選挙での損得勘定を度外視しろというのは酷かもしれませんが、「政教分離」原則を守るということは、損得勘定を抜きにしてでもやらなければならない憲法上の重大問題なのではないでしょうか。

それにしても、すでに連立を組む前から「物言えば唇寒し」という状態ですから、本格的に連立政権が発足したら、創価学会・公明党に対し正論を吐くことなどできなくなる。極めて危険な状態といわざるを得ません。これは自民党だけの問題ではありません。民主党も創価学会の票が欲しいから、創価学会と公明党の「政教分離」問題に対してきちんとした対応をしていないのです。そのために、現在でも国会の場で「政教分離」についての本格的な議論がなされていません。

## 総裁選の争点

——九月には自民党の総裁選挙が予定されています。小渕総理をはじめ、加藤紘一前幹事長、山崎拓前政調会長が立候補していますが、「自公連立」政権の是非は、総裁選の争点としてきちんと議論されるのでしょうか。

白川　小渕総理は「自自公連立」政権の実現を積極的に推し進められている。これに対し、加藤さんは「公明党との連立は閣外協力にとどめるべきだ」と主張されている。山崎さんも「自公連立」政権に否定的です。最大の争点になるかどうかは分かりませんが、少なくとも最大の相違点であることは間違いありません。自民党総裁選が「自公連立」が成立するのかどうかの最大の関門になるでしょう。

# Ⅲ

# 戦いの現場から

# 一　真のリベラルとは何か

自自公連立の最大の問題点は、政教分離問題であり、信教の自由をどう守るかということである。そして、信教の自由は、思想・良心の自由と不可分一体である。要するに、自由の問題なのである。問題の根源がここにある以上、私の自由に対する考えを理解していただく必要がある。

このインタビューは、鳩山由紀夫、白川勝彦ほか八名の政治家のインタビューをまとめた、細川珠生著『**未来を託す男たち**』(平成一一年一二月三〇日　ぶんか社刊)から、「真のリベラルとは何かを追究する愚直な自由主義者——白川勝彦」の部分を細川氏の了解を得て収録したものである。

## 自自公連立は国民の批判にあって早晩つぶれる

政教分離派の急先鋒で、今回の自自公連立に「ちょっと違うんじゃないの」と異議を唱えた。総裁選でも所属する派閥の長・加藤紘一氏を〝側近〟として応援。〝反自自公〟がまるで政策の一つのように、違いを鮮明に出して戦った。ほとんど無投票再選だと言われていたせいもあり、結果は小渕恵三氏の再選。しかし、予想以上の加藤氏の得票に〝反自自公〟は、自民党内でも決して少数ではないことを証明した。それに気づいていないのは、自民党の幹部だけと言っていいかもしれない。

白川勝彦氏は、「三党の政策合意なんてできっこない」と自自公連立は実現不可能という予測を立てていた。しかし、できてしまった、巨大与党が。

なぜ、自自公連立に反対し、公明党との連立を、あれほど嫌ったのだろうか。

**「最大の理由は政教分離という問題ですよ」**

自民党はずっとその点を批判してきたのだから、白川氏がそう主張するのも、もっともなことだ。

**「思想・良心・信教の自由を保障するというのは、憲法でいったら、根本に属することなんです。ですから、政教分離というのは、予算を投入しないでできる最大の自由権の保障。われわれ自由主義者にとっては一番大事なところなのに。ですから、自自公連立はできましたが、早晩国民の批判にあってつぶれますよ」**

自民党が公明党を「政教分離ができていない」と、宗教の政治への介入を猛烈に批判したのは、わずか四、五年前だ。であるにもかかわらず、政教分離には触れずじまいで、それどころか、宗教団体に支援されることも容認するかのような発言をしながら、公明党と連立政権を作った。国民の八割近くが「おかしい」と言っているにもかかわらず……。なにを意図して、国民の批判にも耳をふさぎ、連立を組まなければならなかったのだろうか。

**「一つは数ですよね。でもそれ以前に、もともと小渕さんの属するグループは昔から公明党との縁が深いところなんです」**

政界の外の人間、つまり一般国民には全然知ることのできない、政界の〝闇〟の部分に聞こえるが、白川氏も、白川氏の派閥の長・加藤紘一氏も、もっとふんばって反対すればいいのに、というじれったさを感じずにはいられない。自由党との政策合意だって、簡単に先延ばしにしてしまうような自民党と公明党の合意された政策だって、どれだけ実現されるのか、それに対する国民の不信感は並大抵のものではないのだ。

もっと加藤氏も白川氏も、自自公反対の姿勢を貫き、もっとふんばるべきだったのではないだろうか。

**「最大限の抵抗はしましたし、これからも信念を変えるつもりはありません。しかし、こういう問題に筋を通すことに意味を感じない人が多い党のなかにあっては、仕方がない。いずれ厳しい国民の審判を経て、私たちが言っていたことが正しかったことに気がつきます」**

白川氏らの良識度が評価される日は近そうだ。

## リベラリストが目指す国家像とは?

白川氏は「思想・良心・信教の自由こそ、自由主義の根本」と言う。

そう、白川氏は政界きっての〝リベラリスト〟、自由主義者だ。

しかし、自由は誰もが求めていること。その自由が満足のいくものかどうかは個人差があるものの、日本の自由度は世界でも上位に入るはず。しかし、白川氏はあくまでも自由主義を追求するのだが、白川氏にとって、日本の自由度はいまだ満足いくものではないのだろうか。また保守主義とか、新保守主義とか、またこの本にも登場する鳩山由紀夫氏が掲げるニューリベラル、つまり新自由主義とか、なんだか一般の人にはよくわからない言葉が氾濫している。白川氏の言う、リベラルとはどんなのもなのだろうか。

**「実は、一時の〝リベラリズムブーム〟が去って、ほっとしているところなんです」**

ほっとしている?

**「ええ、一時はもう、自民党のなかも旧社会党系の人たちも、民社や公明の人たちもみんな使ったんで、私はリベラリストです、と言うのもはばかるくらい、政界中がリベラルになったわけです。だからって日本がリベラルになったわけではない」**

そこで、白川氏の意味するところの〝リベラル〟が何なのか、聞きたいところだ。

**「まず一義的には、リベラリストは自由主義者ということでしょう。最も素朴で、単純な意味**

でね。自由主義者というのは、明らかに国家主義者、全体主義者、それから社会主義者とも違うと、簡単に考えて頂いて結構です。その自由主義者のなかにも、分ければいろいろあって、われわれは今でも、自由主義的なものの考え方をする人と、自由主義的なものの考え方をしない人との戦いが、日本でも実は大きいと思うんですよ」

自由というのは、個人の持つ自由という意味なのだろうか。

「それはいろいろあります。圧政とか暴政とか国家権力の統制からの自由。それは例えば、なにも自由主義社会特有でなくても、社会主義社会のなかにだって、あったんです。暴政からの自由という意味は、権力の横暴とか、無謀なあるいは専制的な体制から、個人の権利を守るという消極的な自由だったと思います。

僕たちが今、自由な社会を作ろうというのは、そういう意味の自由じゃないんですね。個々人が自由に自らの運命を決めて、そして自己実現を図っていく。そういうことが保障される社会を作り、そういうことを支援する社会を作りましょうということなんです。そういう面では、われわれ自由主義者が作る政党の国家像と、自由主義者じゃない人たちが持っている国家像とでは、明らかに違うのではないでしょうか」

そういう目でその違いを見るということは、こう言っては失礼かもしれないが、あまり一般には浸透していないことのように思う。なぜなら、個人より組織の力が強い日本社会ではあっても、世界を見渡せば、日本の自由度はやはり上位に位置すると思うし、日常生活において、恐らく多くの人が支障を感じるわけでもないからだ。

**「自民党と公明党が連立を組むということは、自由主義政党たらんとする自民党から見たら大問題なんです。ところが、参議院で過半数ないんだから仕方ない、というくらいでこの問題を考えてしまう。これが日本の政治の現実。自民党という政党のなかでこうなんですから、日本の自由というのも脆弱なんです」**

最近の自自公連の政策はやや国家管理的な要素が強まるようなものが多いように感じることに対しては、私も危惧するところだ。しかし、白川氏が自由主義の達成にこだわるというのは、国家像の違いが、政党の対立軸にもなり得ると考えているからなのだろうか。

**「よくイデオロギーの対立がなくなったと言われていますけれども、自由主義的なものの考え方は一つのものの考え方で、それに対して、自由主義的でないものの考え方、例えば、共産主義とか社会主義とか、あるいはあえて哲学的・政治的主張を持たない人たちと明らかに対峙しているわけです。そういう面で、私は日本という国は自由な国になりたければリベラリストががんばり、自由主義的な政党がもっともっと発展していかなければ、本当の意味で、自由人がのびのびと活動できる社会ができないんじゃないでしょうか」**

そうなると、自由と民主主義を掲げる自民党が、うんと活躍しないといけないはずだ。しかし、自民党がこのところ進めている政策は、どちらかといえば白川氏の言うような、個人の自由を認める部分を逆に減らしていくようなものが多い。それはそれとして、多少の国家の強さ、組織の強さは認めてもいいと思っているのだろうか。

「いや、そこが僕たち自由主義者とそうでない人たちとの違いなんですが、すべてこの世の中の発展は、個人の自由な活動をどれだけ保障するかというところにあるんだというのが、われわれ自由主義者の考えなんです。

それに対して、それは大事だと思うけれども、人間が幸せになるためには社会のトータルのシステムがきちんとしていなければ、個人の幸せはない。だからトータルの仕組みを、いい仕組みを作りましょうという人たちは、あまり自由主義的ではないんです。

何よりも、自分が不幸せなのは社会の仕組みが悪いからだと、そして、集団の力で法を変えていこうというのが、労働組合にもあると思うし、その労働組合に依拠している社会主義政党や共産党にもあると思うんです。だから政策を詰めていくときに、最後はそういう違いを感じますよ。基本的にイデオロギーの差だと思いますね。

これは多分、人間社会が続く限り、二つのものの考え方は僕はあると思っているんで、イデオロギーの違いの時代は終わりっこない」

## チャレンジャーを受け入れない日本の本質的仕組み

今、国民個人の自由を妨げる制度や仕組みがあるのなら、それを変えることからまずやらないと、永久に白川氏の言う真の自由は手に入れられないだろうと思う。

白川氏も、政治家を目指した原点は、「日本国民一人ひとりが、いろんな可能性を発揮できる世の中を作りたい。そういう野望のある青年の代表としてこの世の中の仕組みを変えていかなきゃいけないと思ったことだ」と言っている。社会の仕組み自体を変えようという思いが、やはり白川氏の胸の内にもあったのではないかと思うのだが。

**「あの当時は、私が若かったということもありますが、大人の考え方っていうのは、まだ非常に頑迷固陋（ころう）であって、若い人のチャレンジを温かく受け入れる世の中じゃありませんでした」**

それは今でもそうだ。若いものは黙っていろ、みたいな。若い人が何かに挑戦するとき、必ず「実績は？」と聞かれる。挑戦をする機会がなければ実績も増えないのに。

**「その基本は今も何も変わっていませんがね。いつの時代にもあるんじゃないでしょうか。昭和四〇年代、五〇年代というのは、今よりはるかに硬かったですね。チャレンジャーは受け入れないみたいな。そういうものを何とかしなきゃいけないと思ったんです」**

若い人のチャレンジがなかなか受け入れられないというのは、どういうところにその原因があるのだろうか。

**「それは本質的な日本の仕組みでしょう」**

本質的な仕組みとは？

**「アメリカ人はチャレンジャーを歓迎し、励ますと言われてはいますけれども、一般的な風土があるわけではないんですね。チャレンジャーというものが出やすい投資システムとか税制の仕組みがあるわけです。そういうなかで、チャレンジャーが出てきて成功する。それを見て、また多くのチャレンジャーが現れる。世界中から集まってくる。**

**チャレンジャーがまず出てくるというのは、それを支援するシステムというのが、アメリカ社会のなかにはきちっとビルトインされているからだと思いますよ。アメリカという社会が一朝一夕にそうなったのではないと思います。アメリカというのはそういう国にしようという、深いロマンがあったんだと思うんですね。いろいろな仕組みを作ったんだと思いますよ。日本はその点、まだまだ弱いですね。**

**それから〝各種業界〟などというのがありますが、既成の業者が自分たちの利益を守るための業界団体であって、チャレンジャーを排除しようという、各種業界と官庁が一つの巨大な仕組みを作っている。今、それを変えていかないと、日本には本当の意味での活力が出てこないと思いますね。逆に、昭和二〇年代は変な仕組みを作ろうにも、国全体のパイが小さかったか**

ら、変な秩序を作れなかった。だから昭和二〇年代の方がいろんなチャレンジャーが出てきて、いろんな挑戦ができたんじゃないのかなと思いますね。昭和三〇年代前半もそうです。

ところが、四〇年代、五〇年代は、中途半端にでき上がった秩序を固持しようという方向で、さらに、新しいチャレンジャーが出にくくなっているということだと思いますね」

## 日本人は自由に生きるということの本当の意味を知らない

戦後できた新しいものは、巨大化して、今度は守りに入った。私も新しいものや小さなものが受け入れられにくい風土があると思っているが、そのなかで今、ベンチャー支援というのを盛んにやっている。失業者の受け皿であったり、自立の道にするために新規事業者を増やそうという政府の思い。一方、現場では大企業が生き残りをかけて、羞恥心やプライドを捨てた合併がいたるところで起きている。合併して大きくなれば、より新しいものは受け入れられなくなるが、両者の住み分けや共存はどうやって図っていったらいいと思っているのだろうか。

「なかなかベンチャー企業というのは育っていないんだと思いますよ。本質的に官が指導するベンチャーの仕組みは、論理上無理なんでしょうね。この世の中の秩序を作りましょうという官僚が、社会の秩序をぶっ壊して、今までのものが全部駄目になるような新規商品を出すなんてことは、ほとんど無理な話ではないでしょうか。論理矛盾ですよ。

従って、現実にはベンチャー企業なんて育ってないんですよ。

ベンチャー企業というのは、秩序のある大企業とは相対峙して出てくるものでもありますが、実は、今ある巨大な企業・組織自体がベンチャー精神にあふれていて、その組織のなかでもベンチャーが出てくるように仕組めなければ、ベンチャー的なものが育ってくるとは思えない」

なるほど。ベンチャーはベンチャーでも、大企業のなかからのベンチャーということか。

「アメリカは、そのあたり、企業の運営自体が非常にチャレンジャーを大事にするということになっているわけでしょう。日本の場合は、役所が、新しいことはしないでいいからとにかく失敗はするな、という形でやってきたわけですが、実は日本の大企業もそうだったのではないでしょうか。新しいことなんてしなくてもいいと。しかし、それがどこかで行き詰まって、今日のような状態になったのではないかと思います」

具体的にはどうすればそこを打破できると思っているのだろうか。

「アメリカが日本に対し、また国内でも規制緩和をしろって言いますけれども、規制があるからベンチャーが出てこれないんじゃなくて、もちろんそれもありますが、少々の規制ぐらいは本当のベンチャーだったら、突破する力をもっていると思いますね。

つまり、日本がベンチャーを歓迎する風土、そして、それをサポートする仕組みを作っていかないといけないでしょう」

みんなと同じことができればいいとか、みんなと同じことができなきゃいけないというふうに教えられたから、他人と同じことをする以上のオリジナリティを達成するパワーも、考える術も失ったと思う。

**「これは根はもっと深いと思いますね。やっぱり自由の歴史というのはヨーロッパやアメリカと比べたら、数百年の差があるわけですね。**

**自由に生きるということの意味、自由に生きることのすばらしさ、そして自由に生きた人間が結果として生み出したプロダクツ、そういうものを本当の意味で日本人はまだ知らないんじゃないでしょうか。**

**だから自由に生きる人間を評価するスタンダードも持っていないし、容認の仕方も知らないというのが、日本の基本的な特質なんでしょう。**

**これは無理ないとは思うけれども、長期的に見れば、新しいエネルギーが次々に出てこない国や社会や会社は滅びていくんだと思います」**

## 民主党の一部と手を組むということはあり得る

白川氏の目指すもの、それは自由。そしてその具体的な姿が、ベンチャー、つまり新しいものが多く出現していくことだ。

自由主義かどうかということが、政党の対立軸になるということだが、その延長には、それを基軸とした政界再編があるのだろうか。そこまで強く望むのであれば、白川氏も自ら行動に出ないといけないだろう。

**「自民党や自由党は、保守主義や保守党という自由主義のグループじゃないかと大くくりに言われてますね。それに対して公明党は中道とは言われても、保守的とか自由主義のグループとは言われてません。民主党のなかに、昔自民党にいたという意味ではなくて、自由主義でいきたいねと思っているグループが三分の一はいるんじゃないでしょうか。**

**その人たちと私たちが手を組むということはあり得るんじゃないですかね。**

**しかし、自民党と自由党のなかにいる、われわれリベラルなグループから見たら明らかに一緒のグループとは言われない人たちも出て行く、ということにはならないと思いますね。**

**僕は大連合はすべきだとは思っています。そしてもう一つのグループ、公明党とか改革クラブ、それから民主党のリベラル以外の人、社民党、共産党というのが一つのグループをなすのではないでしょうか。それは正しいグループ分けだと思いますよ」**

そのあたりがすっきりいっていないために、国民にはそれぞれの政党の違いが、わかりにくくなっていると思うのだが……。

**「素朴な二大政党論というのが根強くありますよね。とにかく二大政党で、その二大政党が活**

発に競い合うなかからいい政治が生まれるんだ、というものの考え方があるんですね。

でも私はね、これは高校の教科書までの話じゃないかと思っているんですよ。二大政党がある、それが大事なんです。だから生徒会でもAとBのグループがあって、その二者のなかから生徒会長が決まればいいいんだということじゃないかと思うんです」

二大政党という形をかたくなに求める、例えば羽田孜さんのような主張は、生徒会レベルの話だと？

「そうだろうと思うんですね。価値観を抜きに、なにがなんでも二大政党が必要なんだと言っているために、民主党という存在が、どういう役割を果たしたらいいのかわからなくなっている。国民も自民党と民主党が政権を争うというのがピンとこないということだと思いますよ」

そうすると、まずもう一回自由主義を基軸にして、政界再編がおこなわれるべきだと考えているのだろうか。

「自由主義者はもう一回総結集する必要がある、と私は思っています。それに対してそうでない人はいろんな問題を乗り越えて、大結集する必要があるでしょう。そうすると、国民から見たら政策的にも明らかに違ってくるだろうから、判断しやすくなると思いますよ。

ただ国民は、私の言うかなり深い意味の自由を、自由主義の国を求めていると思いますから、結果として、自由主義を掲げたところが勝つということになると思いますよ」

## 自由主義にもとづく国家の役割とは何か?

そうなると、国家の役割というのはどういうものになるのだろうか。

「国家の役割というのは、いかなる社会でもあるわけですね。国内の治安を守るとか最低限の国民の生活を守るとか。外国に対する防衛のあり方は、どういう主義の国でもそう変わりはない、やっぱり軍隊は必要なんだという考え方はあると思いますよ。そういうのが、国家の本来的な機能だと思いますね。

それ以外に、国家、それ自体が一定の価値・思想を持って国民をぐいぐい引っ張るという、そういう国家の役割というのを自由主義の国は求めないのではないでしょうか。自由主義者が考える国家というのは、国の方向性は決めない。自由な国を作りますというのが、政府の最大の目標で、豊かな国ができるかできないかというのは、どれだけ国民の自由な活動を保障し、国民の能力ややる気をどう引き出すかにかかっている。結果として国民の多才な能力が発揮されて豊かな国ができればそれでいいんだと、そういうのが、私たちの国家観ではないでしょうか」

そうするためには、国会議員の方が、いろいろな権力を手放さないといけないのではないだろうか。

「もっと国民が自信を持って、いろんなことをやりなさいということではないですか?」

まずやってみる、と。

「やりなさい、と。それに対するサポートは考えますと。自分ではチャレンジしないで、ただ成果だけをくれと、それを政治だとか、あるいは国家に求めるというのは、本当の自由を求める社会ではない国民の考えかたではないでしょうか。まだ日本が自由な国の合格点をもらえないのは、なにか起こるとすぐ政治が悪いからだ、と言うんですね。政治が悪いがために起きる問題があって、政治が責められなくてはいけない話もあるけれども、逆にこの世の中のすべてのことを政治がコントロールしてもいいんですか、と言いたい。離婚が多いのも不倫が多いのもみんな政治が悪いからだ、なんて言われても、家庭生活の夫婦の道まで、昔のように口を出す国家がいいんですか、そういう政治がいいんですか、という話になるでしょう。

だから国家は、本当の幸せなんて国民に与える力はないということを、政治家も国民も知らなければならない。国民が自らの努力でつかむしかないんです。で、お手伝いするものがあればお手伝いするというのが、われわれ自由主義者が考える秩序であり、国家観ではないか、と思います」

## 現憲法を浸透させ実質化することこそ先決

白川氏は、憲法改正については、積極的ではない。いわゆる「護憲」と言われるグループの一人。しかし、憲法についての考えを聞いてみたら、自由主義の実現に向けての力強い意気込みから大幅にトーンダウンするかと思いきや、そうではなかった。むしろ、今の憲法の意義や価値に相当の誇りを持っているようにも思える。しかし、そのような憲法があっても、白川氏の目指す自由主義が徹底されていないのなら、それをもっと自由度が高まり保障されるものへ、書き換えてもいいのではないかと思うが……。

**「憲法改正論議が、非常に活発になってきていますが、戦前の憲法に比べれば、はるかに自由主義的な憲法だと思います。自由主義の理想にあふれた憲法がありながら、憲法が想定する国にまだなりきれていないということの方が、はるかに大きな問題だと思っているんですけれどもね」**

そうすると、今の憲法を改正するなどとんでもない、もっと浸透させる方がいい、と考えているのだろうか。

**「今の憲法が想定しているような、自由で進取の精神にあふれた国民がもっと出てきてくれないと、自由主義の国・日本はこれ以上発展できないのです。国民がみずからの問題をみずからの力で解決していく、そういう社会にならないと、自由主義社会の本当のいい秩序はできていかないと思います。**

**私からみれば、なぜ憲法が保障している自由を、国民がたった一回しかない人生において、**

もっと大切にして、自分らしく生きようとしないのか、と思うんです」

ただ、どこか問題点や分かりにくい箇所があればそれを直すぐらいはいいのではないのだろうか。

「いいけれども、憲法のどこがおかしいのかというのが、よくわからないんですね。ここがおかしいから、だから国民の自由が保障されないというような具体的なことが、憲法がおかしいという人たちからは聞かれないんですよね。

だから、僕は憲法改正にはあまり積極的な主張をするところに入っていないのです。護憲を旗印にするつもりもないけれども、あまりにも憲法がうたった自由をきちんとやり遂げている人が出てこないから、まずはこれを浸透させることの方が先」

別の言い方をすれば、改憲することによって、自由を奪うという方向になるなら、改憲には絶対反対だろうか。

「改憲論者のなかには、今の日本がだめなのは、自由方埒な憲法を、国を作りすぎた。もう少したがを締め直さなければいかん、というような考えの方もけっこういますよね」

もう少し、義務を課そうという考えだ。

「国民が義務を負わなきゃいけないというのは、自分の自由も大切にしたい、あなたの自由と同じように、あなたも他人の自由も大切にして下さいよ。そこから出てくる義務や制限なんであって、国家がこっから先は乗り越えちゃだめですよと言って線を引く義務であってはいかんと思いますね。

それにはまず、国民が自由闊達に行動するということが前提でなかったら、制限を課す意味がないと思うんですよ。何にもアクションしない人間には厳しい制限も要らない」

## 家族制度を生かした日本型社会保障システムを

そういう考えに立つと、国の役割でもある社会保障制度の確立はどのように考えているのだろうか。

「私は日本の社会保障は、ヨーロッパのものを安易に入れすぎたと思っていますよ。ただし、ヨーロッパは非常に手厚い社会保障制度を入れたために、非常に高い税金を払わないといけない国家になったんだということを忘れてはならない。しかし、自分の稼いだもののうち、自分が自由に使える部分をできるだけ残してあげるというのは、国家が国民に保障する自由のなかのかなり大事な点だと思うんです。

そう考えると、日本は非常に経済成長率が高く、若者が多い国だったから、ヨーロッパと同じ制度を入れても、非常に安く入れられましたが、少子高齢化が進みヨーロッパと大体同じ人口構成になると、コストの高さを感じ始めた。社会保障政策によって、国民にとって一番大事

**な所得の自己処分権がどんどんおかされていき、税金で取られる分が増えるということを考え、何を公的な社会保障に任せるのか、もう一回真剣に考えないといけないのではないでしょうか。ヨーロッパの社会保障制度は、日本のような家族制度のない社会で生まれたもので、日本、あるいはアジアは家族制度が健在ですよね。そういうものをもう少し生かした社会福祉のあり方だってあるのではないかなと思いますね」**

日本の人口構成が、日本のよき伝統の一つでもある家族制度によって賄われる社会保障に限界を与えるため、介護や保育のあり方を大きく変える必要性を迫っているのだが、家族制度を生かした社会保障というと、それとは逆行するように感じる。なにか、妙薬があるのだろうか。

**「日本人はやはり家族制度というものを大事だと思っていますよ。親子が同じ家に住んでいるということを自然な姿と思っていますよね。親子二世代が一緒に住みたいね、と言って一緒に住むケースも多い。そうすると子供ができれば家族三世代ということになる。だからといって昔のような大家族制度になるわけではない。今若い女性が働くという場合に保育所に預けるよりもおばあちゃんが面倒見るというほうが、いい面があるんじゃないのかなと思いますよ。だから日本型の福祉政策が真剣に考えられてもいいと思います」**

公的な社会保障は必要ないということだろうか。

**「ヨーロッパの制度もいいものだと思います。でもそのまま直輸入だったら、コストがかかる**

に決まっている。日本型の社会の特質を生かして、コストをかけないで同じような効果を上げられる仕組みはいろいろあるでしょう。ヨーロッパのものを入れないということではないですよ」

## 小選挙区制導入以降、自由闊達な風潮が弱くなった

白川氏は、自治大臣時代にも、地方分権を進めるための政革を次々におこなうなど、常に改革派として行動してきた。政治改革への思いも強い。このところの自民党は、政治改革の意思とは逆行するような選択をすることが増えてきたように思うが、白川氏にとっての政治改革とは、一体どんなものなのだろうか。

「国民一人ひとりが自由闊達に政治的意見を述べ、生き生きとした日本を作るために、それに呼応する政治家が政界にどんどん来てがんばる。政界自身がもっと自由闊達でなきゃいかんと思っていますね。

自民党は自由闊達な党だったと思いますけれども、小選挙区制が導入されてから、そういう風潮が極端に弱くなりましたね。同じように、新進党はそれがないということで、空中分解したわけですが、まだまだ日本の政党も国民の自由な政治的ニーズにこたえていないのではないでしょうか。

**小選挙区制は政党のウェイトが大きくなって、個人のレベルの候補者が立候補することが難しくなった。制度はそう簡単に変えられませんが、それじゃいかんという人たちがその壁を乗り越えて、突破するしかないと思いますよ」**

白川勝彦氏にとって、今最大の関心は、おそらく先の自民党総裁選でも盛んに反対を訴えてきた「自自公政権」の雲行きが怪しくなってきたことではないだろうか。日々出される政策や三党の合意は、国民を敵にまわすかのようなものばかり。

こんなときだからこそ、白川氏ら「反自自公」を訴える人たちの結束が必要ではないだろうか。政権を維持したい。我が身の安全を第一に考えたいと思う政権党が引き起こしがちな〝病〟を断ち切るためにも、そういう人たちを越える良識とパワーを今こそ、発揮すべき時が来ているのだ。

白川氏の望むような〝自由主義かどうか〟が基軸となった政界再編にはならないかもしれないが、それは白川氏が永遠のテーマとして、追求し続ければいいと思う。

しかし、本当に真の〝リベラリスト〟だと思った。一朝一夕にそうなったのではない。深い思いが自由主義の追求に込められているように感じた。それは白川氏のこれまでの生きてきた環境が、大きな影響を与えているように思う。

「自自公政権」を倒せるかどうか、白川氏にとって勝負の日は近い。

細川珠生（ほそかわ　たまお）

一九六八年東京生。一九九一年聖心女子大学英文科卒。同年米ペパーダイン大学政治学部へ留学。一九九三年「娘のいいぶん～ガンコ親父にうまく育てられる法」を出版。同作品で、第一五回日本文芸大賞女流文学新人賞受賞。その後、雑誌・新聞などで政治家のインタビューや政治・行政に関するコラムなどを執筆。一九九五年より「珠生・隆一郎のモーニングトーク」（ラジオ日本・毎土七：〇五～七：三五）でパーソナリティを務める。細川隆一郎は父。故・細川隆元は大叔父。

# 二　攻撃と反撃

## 1　公明党との連立内閣に関する意見書の発表

### 公明党との連立内閣に関する意見書

現在、政局は公明党との連立に向け、急速に動きつつある。参議院で自由民主党が過半数を割っている現状から政策ごとに公明党の協力を得るべく努力することは政党としてやむを得ない。

しかし、公明党との閣内協力については、憲法に定める政教分離の原則に照らし疑義があり、よって私たちは、これに慎重に対処することを強く望むものである。

一九九九年八月一三日

衆議院議員　石原伸晃
衆議院議員　江口一雄
衆議院議員　江渡聡徳
衆議院議員　奥谷　通
衆議院議員　小澤　潔
衆議院議員　小此木八郎
参議院議員　尾辻秀久
衆議院議員　小林興起
衆議院議員　小林多門
衆議院議員　佐藤剛男
衆議院議員　白川勝彦
衆議院議員　自見庄三郎
衆議院議員　鈴木俊一
衆議院議員　原田義昭
衆議院議員　平沢勝栄
衆議院議員　穂積良行
衆議院議員　武藤嘉文
衆議院議員　森田健作
衆議院議員　渡辺具能

（五十音順）

この意見書は将来、歴史的文書となるでしょう。小渕総理、自民党執行部が自自公連立にまっしぐらに走り出していた先の通常国会の最終日、私たち一九名はこの反対意見書を発表しました。

私たちは、一〇〇名くらいの賛同をいただけそうな人たちに話しかけましたが「選挙で創価学会を敵に回したくない」「派閥の親分が小渕支持、自公賛成だからかんべんしてくれ」「私は今回どうしても大臣（または政務次官）になりたいからかんべんしてくれ」など様ざまの理由で断られて一九名の決死隊だけで発表しました。池田創価学会名誉会長はこの一九名は絶対次の選挙で落とせと大号令をかけたそうです（『週刊現代』平成一一年九月一八日号）。

この指令を受けてか、創価学会は過日私の選挙区の十日町市では五〇〇〇人の、上越市では一万人もの会員を集め「白川非難大会」を開きました。こういうことをやるから、ふつうの国会議員はビビってしまうのです。しかし、そこに創価学会＝公明党の反自由主義的体質があるのだということを知ってください。

自自公連立内閣発足以来、評判は極めて良くありません。また大臣や政務次官になれると思っていたにもかかわらず、なれない人がいっぱいでました。いまや自民党内でも、自公連立反対派の方が多くなりつつあります。これからこの意見書を発表した一九人が核となって政教分離を求める動きを活発に始めます。みていてください。期待していてください。

（平成一一年一二月一日Ｗｅｂサイトに掲載）

## 2　私に関する「怪文書」と私の反論文書

怪文書というのは永田町では珍しくもない「名物」のようなものですが、一般の方々はあまりごらんになったことがないのではないかと思い、このほど光栄にも私に関して全国会議員に配られたものをお見せいたしましょう。議員というと結構な数おりますから、それに全部届けるというのはむろん組織的な行動です。「怪文書」ですから当然、筆者や団体名などないわけですが、お読みいただければだいたいの出所は見当がつくはずなのでお楽しみください。

次頁の怪文書をごらんいただけましたか。ちょっと読みにくいかもしれませんが、怪文書などというのはこのようなものだ、とおわかりいただければ結構です。この会話は内藤國夫氏の電話の相手が録音して発表したモノのようですが、内藤氏の発言に「自分は白川に、お前山崎にゼニ渡したのではないのか、と聞いた」とありますが、どこにも私が五億円渡したなどとは書いてないし、これで勝手に五億円渡したことにされてはたまりません。しょうもないことをすると放っておくことにしておりましたが、その日新聞をよんでいたら公明党の神崎代表が、上海でこれは見逃せない発言をしております。一方で、野中官房長官が「つぎの選挙で自民党の獲得予想議席は二一五」などとんでもないことを言い出しています。この政治的な意図と

# 白川勝彦議員から山崎正友に裏金五億円が渡る
## それを裏付ける証拠テープが出てきた

自民党・白川勝彦（元自治大臣）より創価学会を恐喝した山崎正友に裏金五億円が流れたことを、平成十一年七月八日に亡くなったジャーナリストの内藤国夫氏が話していた。その驚愕すべき事実を語ったテープが、最近一部のマスコミに送られ、その裏金の流れが明らかになった。

国会はまさに政治資金規正法をめぐっての論戦がたけなわであるが、この新進党攻撃のビラをめぐっての当事者であった故・内藤国夫氏の発言は余りに重い。まずは白川を喚問し、いかにしてそのような大金を作り山崎正友に渡したのかを明確にすることが必要であると考え、以下のような入手資料を各国会議員の先生方に送付するものである。

一、内藤氏と会話している正信会僧侶・伝法寺（大分県竹田市玉来）住職・浜中和道氏のあいさつ文　二通

一、内藤氏と浜中氏の電話会話テープ（十人の先生方に一つ程度の割合でテープを同封させていただきましたので、都合により同封されていない場合もあります）

一、電話の会話中に出てくる「絶縁宣言」なる文書を紹介した『中外日報』（内藤氏は文書の内容について、会話の中で否定してないことは注目に値する）

一、内藤氏と浜中氏との電話会話テープの反訳文

この反訳文中、特に注目していただきたいのは以下の部分です。

「［内藤］で、その、まー、白川が俺に言うんだよな、つまり、『三者の思惑が一致した』と、『脱会者の学会憎しという気持ちと、ジャーナリスト・内藤国夫さんの長年にわたる創価学会支配の世の中を許してはならないという思惑と、それから自民党が、新進党に勝ちたいという思惑の三つが一致して、あのチラシ運動ってのは成り立ったんだ』と。チラシ作戦を考えたのは山友なんだよ」


「［内藤］そいで、俺、『お前とはもう一生、仕事、一緒にしない』と。『やりたきゃー、てめーでやれ』と、『表に出れないでめーの名前でやれ』っちゅうって、俺、大ゲンカしたんだから。

［浜中］えー、えー。

［内藤］ほしたら、自民党が困り果てて、で、あいだに入って、『ここはひとつなんとか』と、つまり、どうしても俺という代表が欲しいっちゅうから、そいで、まー、山友も詫びてきたことだし、で、そいじゃー、まー、代表に担がれるかと、つまり俺は名義を貸しただけなんだよ」


（裏へつづく）


「［内藤］俺はもう、山友とはもう、コリゴリなんだから。とにかく、あんた、そのチラシで何億円かの金を自民党からせしめて、そして、その金を山分け、何人かでして、そいでいま、ケンカしてるんだよ、その連中が。

［浜中］えー、えー。

［内藤］そいで、表でちゃんとハデにケンカして決着つけるなら勝手だし、誰がどうやってどれだけ山分けしようが、俺は知ったこっちゃないわけだ。白川を一時期は追及したよ、『いくら渡したのか』と、だけど、所詮、そういうことを表にできないのが裏金だから、俺はわかって、『もう勝手にしろ』と、『バカヤロー』と、俺は白川にも大バカ呼ばわりしたよ。

［浜中］えー、えー。

［内藤］ねっ。ほいで、いま怪文書がさかんに国会議員とか、いろいろ流れてるわけだ。山崎正友への絶縁書なんていって。ほいで、それをまたあろうことか、あんた、よーくわかってきたのは、つまり、創価学会の書く、おんなし、面従腹背って言うか、表では山分けをして、内ゲバしている連中が、ニコニコしながら、裏で不満だから蹴り合ってるわけだよ。それが怪文書に流れて」


「［内藤］もう、奴ら、いまでもまだやってるよ。

［浜中］本当に汚い奴だからね。

［内藤］えっ？

［浜中］汚い連中だからね。

［内藤］というかね、金なんてのは、あとからついてくるってのが俺の人生なの。

［浜中］えー、えー。

［内藤］ねーっ。金ってのは、金の目的じゃないのよ。金がなきゃーカスミ食って生きてないよ。だから、金はいるよ。だけど、金のためにどうこうじゃないんだよ。だから、もう、『被害者の会』ってのは空中分解、寸前よ。

［浜中］でしょうね。

［内藤］みんなで山分けしてさー、たかが、だけど、まー。

［浜中］でも、なに、5億円もあれもってんの？

［内藤］うーん、山友は全部でそう使ったって、それだって確たる証拠はないよ。だけど、まー、いろんな奴が言ってくるわけだ。

［浜中］でも、家、作ってんでしょう？

［内藤］そうだって。

［浜中］はー。いいタマだね。

［内藤］うん？　アホだよ。

［浜中］でも、いいタマよ。

［内藤］いや、だって、税務署は、もうあんた、警察も動いているし、税務署も動いているし、新進党も動いているしさー」

いうのは、大変わかりやすい。わかりやすすぎるんです。

それはどういうことかというと、平成一一年六月現在の自民党議員は選挙区一九五人、比例区七二人で合計二六七人です。二一五人というのはこれより五五人もすくない数字です。比例区定数が二〇議席削減されたとしても途方もない数字です。これが選挙を事実上取り仕切る立場の野中氏から出たということは、「つぎの選挙は自民党が負ける」といったのと同じことです。闘わずして負けを宣言する指揮官など異常なこと、といわねばなりません。では、なぜいま、そんなことを言うのか？

それは「この数字は当たり前なのだ。だから、つぎの選挙で負けても、小渕政権だぞ」という意味なんですね。これは民主主義の政党としてはあり得ないことです。選挙で惨敗するということはとりもなおさず、国民の支持が得られなかったということですから、当然指揮官としても首相としても退陣しなければならないのは常識です。が、野中氏は「自自公合計で過半数を上回ればよい」というのです。つまり、もともと無理があり国民が批判している、本来解消すべき自公体制を固定化しようという「宣言」なのです。これに対して、公明党の神崎代表も「小渕首相以外なら連立は考え直す」と発言して、両者の呼吸はぴったりあっております。

このようなタイミングで私への怪文書がだされた、ということはなかなか興味深いものがあります。そこで私は、怪文書を放っておかないで、簡単な文書をつくって全議員に配りました。

「自自公連立とは、結局、創価学会マフィアと旧経世会マフィアの結託である」をどうぞご一読いただいて、どちらの言い分がスジが通っているか、ご判断ください。

なお、この闘いはこれから始まります。自民党内のニュースは、新聞ではもっぱら権力闘争で「どっちもどっち」と冷笑的な報道をされますがそうではありません。いま争われている二つの道は、国民のみなさんに決して無関係ではないということを、このＷｅｂサイトを通じて私は明らかにしていきたいと思っています。

（平成一一年一二月一日Ｗｅｂサイトに掲載）

## 自自公連立とは、結局、創価学会マフィアと旧経世会マフィアの結託である。

**〈正体見たり枯尾花〉**

この季節、川原に行けば枯れススキが多いのでしょう。私たちは、上海で、ひとつの枯尾花をみました。

「衆院選で一定の支持があれば、引き続き小渕政権を支えてゆきたい。一定の支持とは三党で過半数を取ることだ」

「小渕首相が続投するならば問題はないが、総裁が別の人になるのであれば、わが党もあらためて（連立参加を）どうするか考えないといけない」（衆院選の結果によって自民党内で小渕首相の責任問題が浮上した場合の対応について）

いずれも、中国訪問中の公明党の神崎代表の同行記者団との懇談の席での発言です（一一月二四日付の『読売新聞』から抜粋）。

これだけ露骨に言われれば、あまり多くの解説をする必要はないと思いますが、念のため。自自公連立は、党と党の関係です。また、自民党が総選挙で大敗した場合、責任問題が浮上するでしょうし、その際、自自公、特に、自公連立の路線問題が改めて議論され、連立解消ということも当然あるでしょう。それよりも、公明党が大幅に議席を減らせば、公明党内でも、責任問題・路線問題が出てくるでしょう。

私は、神崎代表のこの発言を新聞で見て、国民世論の大きな反対があるにもかかわらず自公連立に狂奔した、そして、いまなお狂奔している人々を見ると、自自公連立とは、結局、創価学会マフィアと旧経世会マフィアの結託であると感ぜざるをえません。

西暦二〇〇〇年を目前にひかえ、現代の日本の政治をいずれにしろマフィアが暗躍し、それらが結託するものにしてはなりません。経世会は、分裂し無くなったはずです。平成研究会（小渕派）は、旧経世会とは、別の政治集団として出発したはずです。にもかかわらず、昔の経世会と同じような考えで政治を行っている人がいるということです。自重自戒を求めたいものです。

自自合流なども、経世会がそのまま健在であるという発想から出てきているのでしょう。とうてい肯んじえません。

### 〈なぜ、創価学会マフィアなのか〉

私が、自公連立を厳しく批判していることをご存知の先生方は多いと思います。しかし、私は、これまで「創価学会マフィア」という言葉を使ったことはありません。また、昨日、一斉に各先生方に私を誹謗する文書が配られることがなければ、この手紙を先生方にお届けすることもなかったでしょう。

私は、「戦うリベラル」を信条としています。ぶんなぐられたら、なぐり返すくらいの勇気は持っているつもりです。

「白川勝彦議員から山崎正友に裏金五億円が渡る、それを裏付ける証拠テープが出てきた」

という誹謗文書が、ぶ厚い資料（？）とともに先生のもとに郵送されたのではないでしょうか。全部ではありませんが、テープまで同封されていたものもあったそうです。

もちろん、創価学会＝公明党がこの文書をバラまいたという証拠はありません。だから、怪文書なのであります。しかし、この文書は、元創価学会の顧問弁護士山崎正友氏と私を誹謗する文書です。国会議員の先生方に山崎正友氏を誹謗したところで何の意味も価値もありません。そうすると、この文書は、結局は私を攻撃する目的でバラまかれたということです。それは、私がかなり論理的に、戦闘的に自公連立を批判しているからでしょう。そうすれば、この文書の出どころは自ずから明らかなのではないでしょうか。

私に対する攻撃は、相当に念が入っています。『創価新報』・『公明新聞』・『聖教新聞』・雑誌『潮』などには、私に関する攻撃的記事が数多くあります。また、私の選挙区である新潟六区の、十日町市で九月一九日五〇〇〇人、上越市で一〇月一五日一万人を集めて、創価学会は一種の白川糾弾大会を開いております。ただ、こんなものは、創価学会内部で意味があっても、一般には何の効果もありません。

そこで、国民の代表である国会議員の先生方に誹謗文書を直接バラまいたのでしょう。創価学会＝公明党以外に、私を攻撃する必要性のある人がいるとは思えません。反対者、敵対者に対してこのような挙に出る体質があるから、私は、創価学会マフィアといいたいのです。

### 〈お粗末な内容の誹謗文書〉

誹謗文書は、あえて反論する必要のないほどお粗末なものです。

ぶ厚い資料が同封され、一部にはご丁寧にもテープの現物まで入ってたそうですが、証拠とされる故内藤國夫氏と浜中和道氏との会話のどこにも、誹謗文書が指摘する「私が山崎正友氏に五億円渡した」ということを証拠づけるものがそもそもありません。しかし、この資料を読まない人には、あたかも誹謗文書が証拠に基づいているかのような印象をあたえます。これが、このマフィアの狡滑な手口なのです。

私の結論だけ、念のため申し上げます。私は、山崎正友氏に裏金五億円を渡したこともありませんし、できるはずもありません、自由民主党では、たとえ総務局長の私であっても、数百万円のお金でも、党の幹事長と経理局長の承認を得ないで支出することはできません。訳のわからないことで、五億円もの金を私が山崎氏に渡すことなどありえません。また、私には、私の政治資金から山崎氏にお金を渡す余裕は残念ながらありません。

こんな馬鹿らしい宣伝や誹謗文書にいちいち反論を出すほど、私もヒマではありませんが、冒頭の神崎代表の正体見たり枯尾花発言、そして、同日、名誉な（？）誹謗文書が国会中に一斉に配布されたものですから、創価学会マフィアの実態を先生方に知っていただきたく、筆を取った次第です。
何かの参考になれば幸いです。

平成十一年十一月二十五日

衆議院議員　白　川　勝　彦

国会議員　各位

## 3 「武闘派」は言論弾圧に負けませんよ
### ――『潮』誌に反撃する

政治の目的は国民の平和で豊かな暮らしです。が、その実現への道は闘いだ、と言ってよいでしょう。私、自民党のなかで「武闘派」などと呼ばれているそうです。これも自分がいつも政治家として、逃げずに思うところを主張し、実行してきたからだ、と別に悪口だとは思っておりません。

それは、自分がどのような闘いのなかでも、卑怯な振る舞いに及んだことがない、と思うからです。政治の世界ですからドロドロしたことは当然あります。でも、そこには自ずからルールがあり、たとえマスコミがなんといおうと自分が間違ってなければそれでよい、と信じて参りましたし、意見が違う相手とも十分討論でわたりあってきたつもりです。この意味でスジのとおった反論をしてくる野党というのは尊敬すべき好敵手、の場合も十分ありうるのです。

しかしながら、創価学会=公明党の私への「闘い」はいささか様相が、ルールが違いました。それは、この学会系総合雑誌の『潮』誌(一九九九年一二月号)を見てもらうとわかります。どうぞお読みください。読んでいただければわかるとおり、敵意丸出しの悪口雑言、という感じの下品な文章です。内容も見当はずれです。

それより看過できないのは、これです。『潮』誌の広告をよくごらんください。

すこしでも、こういったことに詳しい方ならお分かりのことと思います。この雑誌はまあ原稿料が異例に高いこともあるのですが、結構名の通ったライターがさまざまな問題を執筆しています。何人かは私も面識がある立派なライター、といっていいでしょう。そのなかにさりげなく、しかし大きく、とても大きく私のことが書いてあります。「野生動物から学ぶ未来」だの「女性記者が支える転職、福祉記事」などというマジメな記事の見出しのなかに、さりげなく「元

恐喝男に支配される白川代議士」などと書いてある。

実に上手です。他の記事がマジメなら、この記事も「きっとマジメなものだろう」と読む前からおもってしまいかねません。それがこの編集の狙いだということは、文芸同人誌でもＰＴＡの冊子でも編集した経験のある人ならおわかりになるとおもいます。でも、狙いはそれだけではありません。

総合雑誌、といっても誰もが創価学会系と衆知の『潮』など発行部数はせいぜい数十万部、それも大半は学会員が読む雑誌です。しかし、広告は違います。朝日、毎日、読売はじめ、首都圏では電車の中吊り広告、膨大な広告費をかけて全部出す。ということは、雑誌を読まない人でも広告は見るのです。それこそがこの記事の真の狙いです。この雑誌記事のおそるべきお粗末さ、なんか実はどうでもいいのです。

一〇〇〇万部といわれる『読売新聞』、八百数十万部という『朝日新聞』などの全国紙、それにほとんどの地方紙などの媒体におおきく、「元恐喝男に支配される白川代議士」という見出しが掲載され、それが通勤客はじめとほうもない数の読者の目にふれること。これがこの雑誌の目的なのです。つまりこれは雑誌の形態をとった誹謗文書なのです。頭の良いやり方といえるでしょう。

「言論」は自由ですが、でも、もっぱら量で圧倒しようというこのやり方はフェアではありません。編集手法はキタナイやり方だと思います。ボクシングのグローブの内側に鉄や釘を隠してなぐりつけるようなものです。かつての言論出版妨害事件は、自分たちに都合の悪い本を出版段階で圧力をかけてつぶそうとしたものでしたが、これはその逆をいくやり方です。

私はこのような攻撃でビクともするものではありませんが、彼らは同じやり方を様々な手口で、学会を批判する文化人、新聞人、そして、かつては自分の党や学会にいた人間にまで向けてきます。私が、なぜ公明党と創価学会の「政教分離」を断固として主張するか、それはこのような学会の体質にあります。

（平成一一年一二月一日Ｗｅｂサイトに掲載）

## 4 「政教分離を貫く会」を設立

平成一一年一〇月五日、自自公連立内閣は私たちの反対にもかかわらず発足しました。しかし、この連立内閣に対する国民の批判は強く、しかもそれは時とともに高まっています。私たちは、このことに強い危惧を持ち先に掲載した「公明党との連立内閣に関する意見書」に署名をした議員を中心にその後も議論を深め、新しい事態の中で私たちの信念を変えることなく「政教分離を貫く会」を設立することにしました。

自公連立問題は、総裁選挙でも大きな争点となり、加藤紘一候補、山崎拓候補の予想以上の健闘の背景に自公連立への批判があったといわれています。私もそう思います。私たちは、総裁選挙の一ヵ月後くらいから時折集まり始めました。三ヵ月間くらい議論を積み重ねるなかで私たちは、「政教分離を貫く会」を設立することを決め、平成一二年二月一七日に正式に設立しました。そして、翌一八日に記者会見を行い、このことを内外に明らかにしました。ここに、「政教分離を貫く会」の趣意書と一〇名の代表世話人の氏名を掲載します。私も、代表世話人の一人として名を連ねております。

# 政教分離を貫く会
## 趣意書

自由民主党と公明党との連立については、憲法の政教分離の原則にてらし疑義があり、わが党の党員党友・識者・とりわけわが党を一貫して支持してきた宗教団体等から、強い反対があったところである。

昨年十月五日、公明党を加えた連立内閣が発足して四ヶ月余りが過ぎた。しかし、これに対する国民の批判は根強く、わが党の存立の基盤すら危うくなっている。また、自由にして闊達なわが党の良き伝統が急速に失われつつあることを、私たちは深く憂うるものである。

私たちは、自由民主党の立党の精神に立ち返り、憲法が定める政教分離の原点を常に踏まえ、政治のあり方を考え、かつ、果敢に行動してゆくことを確認し、自由民主党に対する国民の信頼を回復するために、ここに「政教分離を貫く会」を設立する。

平成十二年二月吉日

代表世話人

衆議院議員　石原伸晃衆議院議員　江口一雄
衆議院議員　江渡聡徳衆議院議員　奥谷通
衆議院議員　小沢潔衆議院議員　小林多門
衆議院議員　白川勝彦衆議院議員　自見庄三郎
衆議院議員　平沢勝栄衆議院議員　松本和那

（五十音順）

これに対するマスコミの対応は、私たちが予想したよりはるかに大きなものでした。翌日の各紙がこぞってかなり大きく「政教分離を貫く会」の設立を報じてくれました。国民の六～七割が自自公連立を好ましくない、反対だと考えているのですから、当然といえば当然のことなのかも知れません。そして、注目すべきは次のようなコメントが『読売新聞』に載っていたことです。

公明党神崎武法代表「自自公連立は党と党の合意に基づく連立だ。（「貫く会」の正式発足は）後ろから鉄砲を撃つようなものだ。疑義があるならば自民党を離党して堂々と議論してほしい」

公明党冬柴鐵三幹事長「貫く会の名簿に載っている議員とは完全に敵対する」

公明党の両首脳のこのコメントから、公明党という政党がどういう体質の政党かよく解ります。全員一致の一枚岩の政党だということです。反対意見の存在は許さない。反対なら党を出ろ、こういうことです。公明党がそのような政党だということはよく解りますが、これは自由民主党や自由主義政党というものを少しも理解していない攻撃です。それは昔、社会主義者や共産主義者に対して、「ソ連や中国に行けばいいじゃないか」といったこととほとんど同じたぐいの攻撃です。

私たちの考えは、現在のところ自由民主党のなかでは少数意見です。したがって、党の執行部が自公連立を組んだことは認めざるを得ません。しかし、それは党のためにもならないし国のためにもならないとの私たちの考えは変えていません。必ず私たちの意見が多数意見となることを信じています。そして、そのために活動することは自由であると考えます。それを許容するのが自由主義社会であり、自由民主党だと思っています。そして、私たちの活動が党内で問題になるなどと思ってもいませんでした。

ところがです。自由民主党の野中幹事長代理をはじめとする幹部の一部から、

「(貫く会の)メンバーは公認を辞退すべきだと思う。辞退しないのなら党として公認のあり方を考えなくてはいけない」

「自自公連立は、党のあらゆる機関で了承を得ている。それでも反対というなら、党に公認を求めたり、選挙区支部長に就いていること自体がおかしい」

「三二名の『政教分離を貫く会』のメンバーの氏名を割り出せ」

「連立政権はきちんと党内手続も経たもので、反対するのは反党行為だ」

などの発言があいついでなされました。

私は、呆然としました。そして、公明党との連立によって、自由民主党の体質がここまで変わってしまったのかという憂いと危機感を強くしました。私が国会に席をおいて二〇年余りになります。この間、いろいろな議員活動をしてきました。わが党の執行部の方針を批判したり反対する活動をしたことも何度かあります。しかし、反党行為だとか公認を辞退しろなどということをいわれたことは一度もありませんでした。

また、自社さ連立時代もこれに批判的なグループは、いろいろな議員連盟などをつくって自らの信念を主張したものです。なかには、当時の野党第一党である新進党の一部と議員連盟をつくって党執行部の方針を批判したものもありました。そうした活動をした人が現執行部のなかにもいます。自らを顧みてほしいものです。

いずれにせよ創価学会＝公明党は、やはり自由主義的政党とは性格や体質を異にしている団体であることは明らかです。このような政党と連立を組んでいると自由民主党の性格や体質までおかしくなっていくことを私は恐れています。今回のことはその徴候の最たるものだと思います。要注意、要注意!!

## 5 「憲法二十条を考える会」の結成と顛末

自由主義者の言動は、本質的に自由だと思います。しかし、自らの言動の責任は自らが負うということが、自由主義者の本質的な倫理だと私は思っています。

平成五年の末か六年の初めに、亀井静香代議士が奔走し自由民主党所属の国会議員によって「憲法二十条を考える会」が設立されました。私は、当時、社会党代議士であった伊東秀子さんや金田誠一さんなどと「一・一ライン」と呼ばれる強権政治との戦いに没頭していました。したがってこの会の設立にはほとんど関わっていません。私は、親しかった亀井代議士に誘われて、助っ人的に参加しました。

平成六年六月三〇日自社さ連立の村山内閣が成立し、亀井代議士は運輸大臣に就任しました。政教分離を厳しく追及し、細川・羽田内閣を厳しく攻撃してきた「憲法二十条を考える会」の会長のまま閣僚をつとめるのはいかがなものかということから、亀井代議士の要請により私は「憲法二十条を考える会」の会長代理をつとめることになりました。そのとき、この会は亀井代議士が中心となって設立したものであるから、あくまでも亀井代議士が大臣をしている間私が亀井代議士の代役を引き受けるだけであり、大臣の職を解かれたらまた会長に復帰してもらうことが条件でした。平成七年八月の内閣改造により亀井代議士は運輸大臣を辞めたので、約束通り会長に復帰してもらいました。

しかし、一年間「憲法二十条を考える会」の代表職をつとめた関係上、その時にお付き合いした宗教団体や関係者と今日まで交流は続いております。また仮にも一年間代表職をつとめたものとして、その責任は私自身において負わなければならないし人間として全うしたいと思っています。現在「憲法二十条を考える会」は休眠状態というより解散状態にあるといったほうがよいのでしょう。少なくともこの二年間くらい、総会などをやっていません。自公連立が問題とされた平成一一年中も会合は開かれていません。

「憲法二十条を考える会」は、細川・羽田内閣の打倒には大きな役割を果たしました。自社さ政権をつくるうえでも一つの役割を果したと思います。また新進党との戦いにおいても大きな役割を果たしました。しかし、平成一一年一〇月自自公連立政権が誕生しましたが、自公連立についてこの会として議論したことも問題としたこともありませんでした。日本の政治で大きな役割を果たしてきた議員連盟であるだけに、このことは悔やまれてなりません。

私たちは、この轍を踏まないためにも「憲法二十条を考える会」ではなく、平成一二年二月「政教分離を貫く会」を設立しました。歴史を二度と繰り返さないためにも、「憲法二十条を考える会」の主要文書を「歴史上」の記録としてここに掲載します。

## 憲法二十条を考える会
### 設立趣意書

社会状況の急激な変化のなか、「政治」そして「民主主義」だけが、現状のままであり続けるという保証はどこにもありません。またその変化、変革のありようは、必ずより良い方向へと向かうものでなければなりません。

そして、政治改革がかつてないほど強く求められている今日、わが国の将来に対し、責任を負うべきわれわれ議員は「政治」と「民主主義」についていま一度、根本的な問いかけを自らがなさなければならないと思われます。

なかでも、議員個々の政治信念を支え、民主主義の前提となる「心の自由」を確保する、させることが、まず重要ではないかとわれわれは考えます。

そこでこの度、「憲法二十条を考える会」を設立し、学識経験者、各宗教団体、社会教育団体の意見等も伺いながら、日本国憲法二十条の掲げる「信教の自由」「政教の分離」等について、今後より深く研究して参りたいと存じます。

代表　亀井　静香

## 会則

（名称）

第一条　本会は「憲法二十条を考える会」という。

（目的）

第二条　本会は、民主主義の前提である心の自由を確保するために国会議員と学識経験者、各種宗教団体、社会教育団体との相互研鑽を図るとともに、日本国憲法二十条の掲げる「信教の自由」「政教の分離」等について研究し、所期の目的を達成するために活動する。

（会員）
第三条　本会の会員は、本会の趣旨に賛同する国会議員をもって構成する。
（役員）
第四条　本会に次の役員をおく

顧問　若干名　幹事長　一名
代表　一名　事務局　若干名
代表代行　一名　幹事　若干名
副代表　若干名

代表は総会でこれを選任し、代表以外の役員は代表がこれを委嘱する。
〈後略〉

## 役員（設立時）

顧問　原田　憲　塩川　正十郎　綿貫　民輔　中尾　栄一　石原　慎太郎
水野　清　中山　正暉　中山　太郎　塚原　俊平　大河原　太一郎
井上　裕　佐々木　満　村上　正邦
代表　亀井　静香
代表代行　田沢　智治
副代表　村岡　兼造　佐藤　信二　玉沢　徳一郎　与謝野　馨　麻生　太郎
桜井　新　高村　正彦　平沼　赳夫　中馬　弘毅　白川　勝彦
宮崎　秀樹　下稲葉　耕吉
幹事長　島村　宜伸
事務局長　額賀　福志郎
事務局　自見　庄三郎　尾身　幸次　村上　誠一郎　衛藤　晟一　石原　伸晃
安倍　晋三　成瀬　守重　尾辻　秀久　西田　吉宏
幹事　亀井　善之　野中　広務　大島　理森　町村　信孝　木村　義雄
武部　勤　谷津　義男　長勢　甚遠　松岡　利勝　森　英介
野田　実　藤井　孝男　松浦　功

早春の候、貴台におかれましては、益々ご清祥のこととお慶び申し上げます。

平素より、私共にご指導、ご協力を賜っておりますことに対し衷心より感謝申し上げます。

また、永年の政権与党としてのおごりの中で、権力闘争に乗じられ党分裂の事態を招き国民政党としての責任を果たしていないことは、誠に遺憾であり深くお詫び申し上げます。この上は、私共一丸となり党改革に実をあげながら必ず再生することを、お誓い申し上げる次第であります。

さて、政治は国家、国民の安全と、福祉の向上に全責任をもつことでありますが、その前提は、国民一人ひとりの自由な意思が尊重されることであり、言いかえれば、「心の自由」を確保することであります。

しかし、連立政権の誕生と共に、戦後幾多の先人が築き上げてきた「心の自由」を保障する「自由な社会」が、いま根底から崩れ去ろうとしております。

なぜなら、極めて排他的な一宗教団体が、自ら支配する政党を政権与党に組み入れ、政治を壟断し、わが国を事実上支配しようとする構想を描いているからであります。特に、この度の政治改革法案の成立に伴う小選挙区比例代表並立制の導入によって現実化する危険が切迫してまいりました。

私共はこの危機に際し、日本の将来に責任を負うべき政治家として立ち上がり微力を尽くす決意をいたしました。そのためこの危険な策謀をあらゆる機会を通じて国民の前に明らかにしていくと共に、国民の負託を得て国会に籍をおくものとして国会活動の場においても、こうした策謀を阻止するための具体的行動を起こすことといたしました。

何卒、私共のこうした決意をご理解賜ると同時に、国民全体がこの事態の深刻さを覚醒するため、貴台ならびに貴教団の絶大なるお力添えを頂きたく伏してお願い申し上げます。

本来ならば拝眉の上お願い申し上げるべきところ、略儀ながら書中をもってご挨拶申し上げます。

末筆ながら、貴台の益々のご健勝と貴教団の一層のご発展をご祈念申し上げます。

敬白

平成六年二月十八日

「憲法二十条を考える会」代表
衆議院議員　亀井　静香

団体代表者各位

# Ⅳ

# 永田町徒然草

私のWebサイトのアクセス数は、開設して九〇日目の平成一二年二月二九日で二万を超えました。一部の著名な政治家を除けば、これは非常に多い数字です。「自自公連立を批判する」というテーマが、多くの人々の関心あるものであったことがひとつの理由だと思います。もうひとつの理由が、この「永田町徒然草」だったと思います。いま、多くの政治家がWebサイトを開設していますが、マメに更新されているものは少ないのが現状です。私は、少なくとも週に二回は更新してきました。その多くが、この「永田町徒然草」です。また、このようなものが、インターネットを使って政治家が情報を発信する方法として一番よいのではないかと思います。

いずれにせよ、そのときどきに発信したものが二ヶ月余で結構たまりました。頁数の関係と実物が横書きですので、その雰囲気を出すためにも、変則的ですがこれから先は横書きとします。実物には写真が挿入されています。

なお、「永田町徒然草」と銘打ったものの、内容はかなり肩に力が入ったものが多いと思います。それは、自自公との戦いがそんな生易しいものではないからだと思います。一日も早く平穏な日となり、まさに「つれづれ」にいろんなことを肩に力を入れずに書ける日がくることを願っています。

1999年12月1日（水）　No. 1

## ただいま「特打ち」練習中 ——開設にあたって

こんにちわ。白川勝彦です。

必要に迫られて、Ｗｅｂサイトを開きました。ご覧になっていただいてありがとうございました。

自公連立がもちあがったころから、政治的な記事は、多少ありますが、自公連立そのものを正面からとらえるものはあまりありません。自公連立は、憲法19条、20条の問題あり、ここから出発しないと単なる政治の問題になってしまいます。

政治論は、政治論としてちゃんとしなければなりませんが、憲法論は憲法論としてちゃんとしなければならないと思っています。

「政教分離」に関する本を出版しようとも考えたのですが、現実の問題でありますから、本が出るころには、up to dateのものではなくなっていると思いました。こんな話を栗本慎一郎代議士に話したら、それならＷｅｂサイトを開けば良いとすすめられて本日に至りました。

自公連立の問題は、いろいろと動いています。自自合流なんて話も一部の人たちが本気になって進めています。こんなことを毎日とはいかないかもしれませんが。「つれづれ」に発信してゆきます。ときどきのぞいて下さい。

あまり長く書くとこれからが続きませんので、記念すべき開設の日は、これくらいで。

正直言って、私は現在、「特打ち」ソフトでタイピングの練習をしている最中で、おもうように原稿がかけませんがいずれ、私の主張をよりわかりやすく、政治の節目節目で展開していこうと思います。どうかときどきのぞきにきてください。

12月3日（金）　No. 2

## 中吊りにされた私

こんにちわ。白川勝彦です。

国会議員となって20年を過ぎました。私は戦うリベラルをモットーにしています。

私はこの半年間、小渕総理が進めようとしていた、そして現にやってしまった自・公連立に異をとなえ、問題を想起し、批判しつづけてきました。それは結構、苦しい、勇気のいることでした。

そのせいか、私は、当時も、現在も創価学会及び公明党から光栄にも激しい攻撃を受けています。

過日発売された、学会系の雑誌『潮』への広告は、あたかもなにか私が後ろ暗いことをしているかのような印象を与ます。中吊り広告も東京中の電車に出されました。インターネットでもしきりに攻撃してくれているようです。

こう派手にやられたのでは、中には本気で私が悪い奴だ、と思う人がいるかもしれません。

私が間違っているか、創価学会＝公明党の主張が正しいか、をインターネットをごらんのみなさまに知ってほしい、というのもこのほどこのＷｅｂサイトを開設したひとつの理由です。どうかごゆっくりごらんください。そして政教分離の問題、自公連立の問題を考えてください。

12：00 AM

---

12 月 6 日（月） No. 3

## 怪文書騒動

寒くなってきました。12 月 3 日（金）、私の選挙区では雪が降りました。金帰月来 ― 2 日半選挙区を回ってきました。

新規購入。議員会館の私の机上に鎮座したパソコンです。14:30 議員会館に到着。まだ、手持ちのパソコンはモバイルになっていないため、せっかくいただいた多数のメールを選挙区で見ることができませんでした。多くのアクセス、そして、励ましのメールありがとうございました。心から御礼申し上げます。

さて、この月曜日発売の『週刊ポスト』をみていただけたでしょうか？　先に当サイトにのっけた怪文書騒動のことが記事になっていました。多くの新聞記者がこれをみて、私のことを心配してくれています。マフィアなんていって大丈夫ですかと。しかしマフィアだからマフィアだと私は言っているんです。

創価学会は、「当会をマフィア呼ばわりするなど政治家としての見識を疑います。」と回答しているそうですが、自分の気に喰わない政治家がいると、5,000 人、10,000 人の糾弾大会をやる。何百万部の新聞、そして新聞広告をたくみに利用してイメージダウンを図る。仕事に差し支えるほどの無言電話を入れる。だから、マフィアだというんです。「こういうことを当然のことのように繰り返す宗教団体の、宗教団体としての見識を疑います。」と再回答しておきます。

この2日半で、私は1,000人位の人にお会いし、演説をし、話を聞き、一番苦手な酒のおつきあいをしてきました。景気の悪いことに対する悲鳴に近い訴え、そして、自自公、自自合流に対する嫌悪感をもった反対意見に接してきました。ヘトヘトになって帰ってきましたが、これが、私たち政治家のエネルギーとなるのです。土日しっかりと休める人がうらやましい。しかし、これが土日しっかりと休む学者や官僚の政策論と、土日ヘトヘトになりながら国民の声を吸収する政治家の政策論が違ってくる理由なのです。

今週も、いろいろな仕掛けをするつもりです。お互い頑張りましょう。

議員会館にて

---

12月8日（水）　　No. 4

## 読みごたえある近刊書

私のＷｅｂサイトの師匠は、あまりあせるなというのですが、別にあせっているわけではないんですが、今日も書きます。多くの方々からアクセスしていただいたのに勇気づけられたこともあります。また、私自身にとりましては、すべてが初体験ということもあるんでしょう。とにかく、いろいろと発信したいのです。

小渕政権打倒と『諸君』、『文芸春秋』やテレビ、新聞などで華々しく打ち上げている小泉純一郎代議士と昨日お会いして意見交換しました。現状に対する認識、今後の展開など、ほとんど意見が一致しました。いずれ、時がきたらこれらのことをちゃんと書くつもりです。乞ご期待!

内藤國夫氏が亡くなって、半年近くになります。私が、創価学会＝公明党問題を研究する際、一番読んだのか、内藤氏の著書・評論でした。内藤氏とは、何度か直接話す機会にも恵まれました。内藤氏の著書をはじめ、私が、創価学会＝公明党の問題を考える過程で読んだ本の一覧をつくり、参考に供したいと思っています。近いうちに必ずＷｅｂサイトにのっけます。

最近、創価学会＝公明党について、私が読んだ新刊書をご紹介いたします。

ひとつは、古川利明氏の

『システムとしての創価学会＝公明党』（第三書館刊）

『シンジゲートとしての創価学会＝公明党』（第三書館刊）

もうひとつは、乙骨正生氏の

『公明党＝創価学会の野望』（かもがわ出版刊）
です。

いずれも、up to date な、なかなかの労作です。勇気ある著作であり、読みごたえのある力作です。特に、注目すべき点などは、いずれ改めてコメントしたいと思います。どうぞ、ご購入いただいてお読み下さい。強くすいせんいたします。

本日は、このくらいで。

12：00 pm　　議員会館にて

---

12月9日（木）　　No. 5

### 国会のいちょう並木

あなたは、国会に来たことがありますか? 私たちが執務する議員会館（3棟あります）と国会議事堂の間にある通りの両側に美しいいちょう並木があります。それ以外の国会周辺の通りにも、いちょう並木があります。多分国会議事堂が造られた前後に植えられたのでしょう。そうすると樹齢60年くらいになります。相当太い木となっています。今年は、暖かったせいでしょうか。いつもよりきれいな黄葉のまま残っておりましたが、さすが師走。一週間前の木枯し1号のころから、散り始め、通りには落ち葉がふきだまっています。

本日は、小春日和。一枚写真をとりました。これが、1900年代最後の国会裏いちょう並木をバックにとった私の写真です。来年も、このいちょう並木は、見事な黄葉で我々を楽しませてくれることは毫も疑いをえませんが、国会の中は、現在とは全く様変わりしているでしょう。

そのことは疑いえませんが、どう変わるかは、簡単には予測できません。ただし、「自自公連立問題」が大きなkeyであることは間違いありません。だから、私は、このＷｅｂサイトを一般的なものでなく「自自公連立を批判する」ということにしたのです。私は、別に創価学会＝公明党マニアではないのです。本当は、一日も早くこんな問題からは解放されたいのです。しかし、今日の政治を動かす最大のｋｅｙである以上、仕方ありません。そんな気持で私のＷｅｂページをご覧いただきたいのです。

師走です。国会も終盤。党では税制調査会の審議。また、予算編成に向けての準備。先生方だけでなく、役人も、各種団体の役員も、国会周辺をあわただしく動き回っています。私も、本日だけで13の会議・集会に顔を出さなければなりません。

　おっと次の会議の時間がきました。

　これにて失礼。

15：07　　議員会館にて

---

12月13日（月）　　No. 6

## ヤワでない人たち

この週末も、金曜の夕方から私の選挙区—新潟6区に帰り、2日半、活動者会議・国政報告会・叙勲祝賀会・陳情処理・事務所会議など、ビッシリとこなし、いま、東京に着いたところです。

金曜日の夕方の中魚沼郡・松代・松之山の拡大活動者会議で、調子にのって、一寸のみすぎたため、土日はつらく苦労しました。皆さんが、「先生、健康には注意してください。」といって気遣ってくださるのですが、「まぁ、一杯。」というんです。これが、私の場合。一番健康に悪いんです。酒は、ほとんどダメなんです。ここを、どうこなすか、演説の内容と同じくらい難しいところなんです。

十日町市で、また、やるんだそうです。今度は、公明党の「時局講演会」だそうです。私の支持者のところにも、ずいぶんと案内状がきておるそうです。政治活動は自由ですから、どうぞおやり下さい。

　しかし、どうせ、また、「自公連立は、憲法20条に照らし何の問題もない。創価学会と公明党は、政教分離しています。」という主張をくりかえすのでしょう。

　衆議院の候補予定者がいるわけでもありません。地方選挙は今春終わりました。本当に、ご苦労様のことでございます。前回の創価学会の5,000人の会には私たちは、入れませんでしたが、今回はオープンでしょうから仲間がいって様子を見てくれるそうです。その結果は、また、詳細にご報告させていただきます。

この前の怪文書騒動のとき、「白川さんが、インターネットを使ってこのように反論したのでは、もうこういうことはできませんね。」という人がいましたが、そんなヤワな人たちではないんです。世間がなんと言おうが、政治的に逆効果としか思われることでも、そんなことはおかまいなしにやるのが、創価学会＝公明党のやり方なんです。物量と人数は、たしかにすごいものを持っていますからね。しかし、だから嫌われるんです。時代遅れの戦艦大和という感じがします。

こんなものに負けられないから、私もガッチリやっているんです。こんなことに屈したら、正論をはく者が国会からいなくなってしまいます。ひとりの自由主義者として正念場と思っています。そう思うと、ますますファイトが湧いてくるのです。

憲法19条　思想及び良心の自由は、これを侵してはならない。
憲法20条1項　信教の自由は、何人に対してもこれを保障する。いかなる宗教団体も、国から特権を受け、又は政治上の権力を行使してはならない。

この2ヶ条が、日本国憲法の眼目であり、この条文があるが故に、わが憲法は、自由主義的憲法と呼ばれているのです。ここから、各種の人権規定が派生するのです。

すべての自由主義者（リベラリスト）、自由を愛するすべての人々は、常にこの2ヶ条を念頭においてもらいたいと思っています。

本日は、これまで！

16：40　議員会館にて

---

12月17日（金）　No. 7

## メシを賭けての激突

自自公連立の初の臨時国会が、去る15日に終りました。2度の強行採決あり、最後は自由党の例によっての離脱騒動ありの国会でしたが、中にいると、なんとも締りのないダラけた国会でした。与野党とも、命がけの主張をかけた攻防・論戦があったように思えません。国民が、命がけの経済活動や新時代を模索しているというのに！　困ったもんです。

さて、12月1日に、このＷｅｂサイトを開設して以来、私は、これを使って命がけの活動を日々行ってきました。そして、戦いをする者にとって、インターネットがこんなに有力な武器になるのだということを肌で実感しています。Ｗｅｂサイトを開設して本当によかったと思っています。あなたもこのＷｅｂサイトを通じて、この戦いに参加してください。このＷｅｂページを見ていただくだけでも、私にとっては大きな励ましになります。できるだけHOTな情報を私も発信しつづけますので、どうぞ、まめにのぞきに来てください。

政治評論家の鈴木棟一さんが、夕刊フジに、12 月 13 日（月）の夜の会合のことを書いてくれました。タイトルは過激ですが、要は、自由党の小沢一郎氏は、定数削減法案が臨時国会で通らない場合、連立を離脱するかどうかということで、見解が違ったということです。この時点で、削減法案が、成立しないことは確定的でした。

小泉純一郎代議士はこう主張しました。

「小沢はでるだろう。これだけコケにされれば小沢にも意地があるはずだ。それに小沢は我慢のできない性格だ」

私は、これに対しこういいました。

「小沢の離脱問題はすでに 10 月 4 日に片付いている話だ。あの時、50 削減が 20 になった。出るときはあのタイミングだった。私はあの時、小沢は離脱の決断をすると期待を持ってみていた。しかしやらなかった。あの日が小沢の死んだ日だ。いまさらでるわけがない」

（記事の記載をそのまま引用。――は私。）

――部分の意味を解説します。

①自自両党で昨年 12月に合意した定数50削減は、国民の6割が支持している。民主党も、本音はどうであれ表面的には賛成している。

②自由党が連立を離脱すれば、自公だけの連立は、自公双方ともやる勇気（？）はない。公明党の政権参加は、国民の 6 割以上が反対している。自公連立は、小沢氏自身も決して望んでいない。

③この数年間、小沢氏が、政界で大きな影響力を発揮してきたのは、原理原則に忠実に行動してたところにある。自由党の党内に連立離脱を嫌がる人が相当いることは事実だが、国民の6割以上の支持のあることを大義名分として連立を離脱する場合、小沢氏と行動をともにしない者は大義名分のない残留となり、選挙民の支持を失うことになる。

以上のような理由で小沢氏は50の定数削減を 20 に値切られて、自自公連立を唯々諾々と承知するはずがない。自由党内の反対を理由に、連立離脱を決断できないとすれば、それは、この数年間の小沢氏ではない。小沢氏は、必ず、自自公連立は拒否すると当時私はみていました。しかし 10 月 4 日、自由党の主張や自自連立の合意を大幅に後退させられたにもかかわらず、唯々諾々と自自公連立を合意したのです。以後、私は小沢氏に対する期待と幻想を一切捨てました。周辺にも、このことを明言してきました。

小泉代議士とのカケは、私たちが勝ちました。しかし、実は、小泉代議士も、私と同じような気持で、連立離脱の予測をしたのではないかと思っているんです。

本日の夕方から、また、地元でガッチリとがんばってきます。

なお、昨日から、私のＷｅｂサイトがYahooに登録されました。ホームページのＵＲＬを知ってもらうというのは、たいへんなんですね。自公連立、政教分離の問題に関心のありそうな方におおいに吹聴してください。

11：10　議員会館にて

---

12月21日（火）　No. 8

## Ｗｅｂサイトの霊験

私のホームページのアクセスカウンターが、昨日18：00ころ、3,000を超えました。たいへん感激しております。


開設して、丁度20日目で、これだけ多くの方々に見ていただけたのですから、所期の目的には十分応えていると思っています。ご期待に応えられるよう、できるだけ新鮮な、生々しい情報を発信してゆきますので、これからもよろしくお願いします。

Ｗｅｂサイトの霊験は、大なるものがありますね。マスコミがあまり取りあげてくれない政教分離問題をお伝えできることが、もちろん第１の霊験です。それに付け加えられるのは、自分の身を守ることができるということです。No.6でお知らせしたとおり、去る12月19日、十日町市で公明党の「時局講演会」が開かれましたが、私への非難は、ほんの一言あっただけだったそうです。これが第２の霊験でしょう。いいもんですね。

第３は、Ｗｅｂサイトを開設する過程で、また、開設したために、新しい数多くの友人を得たことです。インターネットで情報をやりとりしている人たちは、これまで私が交際してきた方々とは、やはり一寸違う人ですよね。新しいタイプの友人を得ました。これから、もっともっと得ることができるでしょう。

また、これまでほとんど見たことがなかった他のＷｅｂサイトを、ずいぶん見させていただきました。特に、政治家のＷｅｂサイトは、ほとんど拝見させていただきました。よく知っている人の意外な面を、Ｗｅｂページを通じて知ることもできました。

しかし、いいことばかりじゃありませんね。夜更かしという悪い癖が、復活してしまいました。３時、４時というのもよくあります。これは、やはり、翌日の仕事にさしつかえますね。一般の仕事がある時は、やはり落ちつきませんので、それを片づけてから、Eメールの返信、タイプの練習をするものですから、どうしても遅く、いや、時には、朝早くになってしまうんですよね。慣れるまでは、仕方がないと半分はあきらめていますが……

今日も、実は、もう3時40分なんです。朝の8時から予算の部会が、ビッシリ入っているんです。いろいろ書きたいことはあるんですが、本日は、これにて失礼します。

03：40　高輪の議員宿舎にて

---

12月28日（火）　No. 9

## 大世紀末の政治状況

今日は御用納です。明日から来年の1月3日まで、国会も役所もお休みです。でも、政治家に休みなんてありません。特に、来年は総選挙の年ですから、衆議院議員はもうこの23日からほとんど東京にいません。私も、元旦の朝から4日間、街宣車にのり新年街宣をやります。政治活動をはじめてからずーとやっておりますので、25回目となります。

さて、今年を総括するとどういうことになるか？　大世紀末の政治のダッチロールが始まった年というのが、私の総括です。ある人に聞いたんですが、千年紀（ミレニアム）を前にした世紀末を“大世紀末”というのだそうです。財政を無視した無意味なバラマキ予算、そして自自公連立等々。まともな神経をもった者には、正視できないような政治状況が進行しています。これに歯止めをかけるべく精一杯努力しているのですが、今年のところは私たちの負けでした。しかし、エネルギーは確実に徐々にたまっています。来年は、私たちの勝の年にする決意です。

総選挙とはよくいったものです。総選挙こそ、総決算にしなければなりません。

西暦2000年。Y2K問題などがあり、大きな節目ではありますが、新しいミレニアムは、西暦2001年から始まるのでしょうか。そうすると、まだ1年あるんです。この1年の間に、グチャグチャになってしまった大世紀末の政治状況を一掃しておかなければならないと思っています。来るべき年は、そういう年にしなければならないと思っています。お互いに、ガンバリましょう！

それでは、良いお年を‼

12：30　　議員会館にて

PS：おかげさまで、今日中に私のＷｅｂ siteへのアクセスが4,000を超えるでしょう。

望外のおおぜいの皆さまからのぞいていただいたこと、心から感謝申し上げます。来年は、もっとガンバリますから、ときどきのぞきにきて下さい。
タイプは、だいぶ慣れてきました。しかし、スピードは、まだまだです。あせらずにやってます。

---

2000年1月1日（土）　　No.10

あけましておめでとうございます

これが私の今年の年賀状です。私たち政治家は、自分の選挙区には年賀状を出すことは出来ません。選挙区以外の親しい方々に差出したものです。版画は私のオリジナルです。雲は、龍に従う。私の座右の銘です。どういう意味ですかとよく聞かれます。龍の周りには、どれも雲が描かれています。これをみて、世間の人は、龍は雲があってはじめて天空を飛翔できると錯覚するが、そうではないのだ。龍は、雲があろうがなかろうが天に向かって飛翔するんだ。そうすると雲が自ずと生じてくるのだ、こんな意味です。今年もこの気概を持って、政治にあたりたいと思っています。

今年は、総選挙の年です。総選挙とはよく言ったものです。まさに、国政が総決算されるのです。自自公は、国民によって決算されるでしょう。そんなことは少しも心配していないのですが、難しいのはその後なんです。自由民主党が単独で過半数を取れば、問題はないのですが、そうならなかった時が難しいのです。その可能性が高いのです。単なる数合わせではない組み合わせをしなければなりません。また、21世紀の日本の政治システムにふさわしいものでなければなりません。私は，今年は革命的な政界再編成があると思っています。今年のこのＷｅｂサイトのテーマは、このことが中心となるでしょう。しかし、そのkeyは自自公なんです。そして、その意味するところは、自由―それもうわべのそれではなく真の自由とは何かということなんです。そのためにも憲法論をちゃんとおさえていないとダメなんです。どうか、私のメーン論文と仏教タイムズのインタビューは読んでいただきたいのです。そんなに難しいことは決してありません。

私は、今日から４日間、街宣車で全選挙区を回ります。今年で 25 年になります。ここから私の今年の戦いは始まります。

今年もよろしくお願いいたします。ご多幸をお祈りもうしあげます。

西暦 2000 年元旦　　新潟県上越市北城町の自宅にて

---

１月４日（火）　No.11

## 21 世紀の日本の自由をかけた戦い

元旦の９：00 ａｍから本日６：10 ｐｍまで、恒例の新年街宣を４日間行いました。日本一の豪雪地をかかえる新潟６区ですが、今年は小雪のお正月。道路上には、ほとんど雪はなく効果的なコースでまわれました。これも天佑神助というべきか。しかも、スキー場にはほどよく雪があり、私たちの地方としては理想的な雪の降りかたです。でも車で走っていると寒さは、やはり厳しいですよ。

雪が多い少ないも私の選挙区では困る人、助かる人がいて、雪に関するあいさつはなかなか気をつかわなければならないのです。

今年の新年街宣では、例年になく熱烈な激励を受けました。いよいよ戦いのとき来たということもあるでしょうが、それだけではないような気がします。500 人～ 600 人の方々から、ハッキリとこういわれました。

「白川さん。創価学会なんかに負けては絶対にダメですよ。私たちがしっかりとついていますから頑張って下さい。」

あまりもの言わぬ風潮の強い新潟６区では、これはスゴイことなのです。いかに自公連立に対する嫌悪感が強いかということと、私がこの半年間やってきたことを皆さんちゃんとみていて下さったのだということです。私は、戦いに対する強い自信を得ました。油断することなく、さらに一所懸命に努力する決意を固めました。

今年は、選挙の年です。私にとっては９回目の衆議院選です。衆議院選には、いつも大きな国政上の大きな争点が必ずあるんですよね。だから総選挙というんでしょうか？　任期がきたからやる選挙とはちょっと違うんです。今回の総選挙の争点は、日本経済の立て直し方と自自公連立でしょう。一見何の関係もないように見えることですが、実は、これが深く関連しているのです。

いま、日本にいちばん必要なことは、国民の創造的な活力が躍動する社会をつくることです。そのためには、国民の自由をより保障し、これを強力に支援することが必要なのです。要は、思想および良心の自由を保障した憲法 19 条と信教の自由を保障した憲法 20 条を現代的により深化させることです。そのことなくして、日本経済の真の再生はできないのです。ところが、自公連立はこれと完全に逆行していることなんです。狂気の沙汰なんです。このことは、現在の自由民主党をみれば明らかです。自由闊達に議論し、行動する党風が完全になくなってきています。マスコミだって、そうなっているのではないでしょうか。創価学会が多年にわたってやってきたマスコミ工作が、ここにきて完全に効いてきています。これは、恐ろしいことです。ほんとに！

来るべき選挙は、21 世紀の日本の自由をかけた戦いであるとの確信をますます強めています。負けることのできない戦いなのです。元旦、神仏にご加護をお祈りしてきました。

今年 1 年、お互いに頑張りましょう。

改めて、本年もどうか宜しく。

22：30　　上越市北城町の自宅にて

---

1 月 10 日（月）　　No.12

## 自自公は、しょせん総選挙まで

この三連休で、私の正月日程はひとまず終わります。新年街宣、あまたの新年会など実りある日程でした。

私の事務所のスタッフは、年末年始、フル活動で休みなし。11 日からお休みといいたいところですが、世間が休みでない時はやっぱり休めないものです。これが政治事務所の宿命なんでしょうか。政治家というと最近では、馬鹿にばかりされているんですが、政治家もスタッフもそれなりに一所懸命にがんばっているんです。それにしても可哀想といえば可哀想、申し訳なく思います。

さて、今日の朝刊に、加藤・山崎両氏が“自自公連立を解消すべき”と発言した旨、大きく報道されていました。意を強くしています。昨年の総裁選に遡りますが、両氏とも一貫して自公連立に反対しているのです。なにも、私一人が反対しているのではありません。いやしくも、総裁候補の二人が明確に自公連立に反対しているのです。残念ながら、二人合わせて 3 割の票しか得ることはできませんでした。だから、小渕総裁が自自公連立を組むことに従ってはいるものの、自説を変えてはいないのです。10月５日、自自公連立内閣は現に発足しましたが、その後の事態の推移をみれば加藤・山崎両氏や私が主張した通りになっていると思います。ＹＫＫのもう一人、小泉純一郎氏も現在では完全に同意見です。もう流れは、完全に決まっているのです。過ちを改めるに憚ることなかれといいますが、そう簡単にゆかないところで苦しんでいるのが小渕総理でしょう。自公連立の解消は、即小渕退陣を意味するからです。

私も、11日から東京での活動を始めます。年末年始、有権者の声を体いっぱい吸収した政治家が東京に集まってきます。そして、政局が動き始めます。

自自公連立なんてのは、総選挙でふっとびます。ひょっとすると総選挙前になくなるかもしれません。こんな世紀遅れの問題にいつまでも本当は関わってはいられないのです。21世紀の日本にふさわしい政治体制を創ることこそ、いまやらなければならないことなのです。しかし、そのためにも国民の6—７割が嫌悪感を持つ自自公体制にケリをつけておかなければならないのです。

明るい21世紀のために、お互いガンバリましょう。

00：30　上越市北城町の自宅にて

---

1月12日（水）　No.13

**俵氏、私を激励する会を開催**

政治評論家の俵孝太郎先生が代表世話人となって、上記のとおり地元の上越市で、市民・有識者・宗教関係者などに呼びかけ、私を激励する会を開いて下さることになりました。まことにありがたいことであり、力強くおもいます。

俵孝太郎先生は、皆さまご存知の通り、政治評論の世界では文字どおりの第一人者。『裸の共産党』『政治家の風景』『日本の政治家　父と子の肖像』などの多数の著書があります。また、『文芸春秋』『中央公論』『諸君』などに時事に関する論文を数多く寄稿。特に、平成８年に発表した論文「新進党は、創価学会党である」は、平成８年の総選挙の帰趨を決するものとなりました。

右顧左眄する政治学者・政治評論家が多い昨今ですが、俵先生は野党時代も一貫して自由民主党を支持して下さった唯一といってもよいくらいの政治評論家です。私が畏敬している政治評論家の一人です。

俵先生から、たっぷりと先生の政教分離論、自公連立についてのご意見をお話いただけると思っています。近くの方はもちろん、少々遠くの方も、ぜひ、おでかけ下さい。

10：25　議員会館にて

---

1月16日（日）　No.14

**政治論としての自自公批判の執筆開始**

私は、これまで憲法からみた自自公批判を中心にしてました。このＷｅｂサイトも、そうしたものを中心としました。自自公に対する批判はありますが、憲法論としての批判は少ないのでそこをキッチリとおさえたいと思ったからです。

しかし、国民の６～７割が拒否反応を示しているにもかかわらず、政治学者・政治評論家・ジャーナリズムからの批判は極めて少ないといわざるをえません。これは、異常な現象といえます。そして、賢明なる諸氏は、その理由も解っていることと思います。こういう現象を考えると、政治論としての自自公批判を私自身もやらなければならないと考えるようになりました。本来ならば、一気に論文として書きおろしたいのですが、いまは、その時間がありません。何回かに分けて、この永田町徒然草に不定期に連載し、それを一つの論文としてまとめることにしました。論文ですので、である調にさせていただきます。

それでは、始めます。

〈現在では論文のページへ移転済です……筆者注〉

10：25　議員会館にて

---

1月19日（水）　No.15

**1月18日の集会、大盛況でした！**

No.13でお知らせした、政治評論家俵孝太郎先生が代表発起人となって呼びかけ、開催された「政教分離を貫く白川勝彦氏を激励する会」、おかげさまで大盛会でした。発起して下さった俵先生およびご協力をいただいた諸団体ならびに荒天のなかご参集下さいました多くの方々に心から御礼を申し上げます。

会場となった上越市直江津駅前のホテルセンチュリーイカヤの大ホールには、1000席を用意させていただいておりました。

しかし、5時半くらいから続々と聴衆が集まり、主催者はあと200椅子を追加しましたが、これでも足らず、立見のでる状態でした。

私の後援会では、今月22日、23日に三ヶ所で大規模な合同新年会を昨年から計画しておりましたし、俵先生の開催の趣旨に配慮して、後援会幹部200人だけの参加に絞らせていただきましたから、約1000名の有識者・宗教関係者・市民の方々からご参加いただいたことになります。俵先生の高い知名度もありますが、有権者の政教分離問題についての関心がいかに大きいかの証左だと思います。

最初に、俵先生から約1時間にわたり、政教分離の法理、自自公連立の“あとは野となれ山となれ”政治に対する批判、竹入氏の手記などを引用しながらの創価学会の独裁的体質の危険性など、幅広い知識と含蓄ある批評のある講演をいただきました。

そして、粛軍演説で帝国議会を除名された齋藤隆夫代議士を、官憲の弾圧の下の翼賛選挙において、大衆は最高点で再び当選させたことを紹介し、聴衆に私への支援を訴えられました。

齋藤代議士が帝国議会を除名されたとき詠んだ漢詩を紹介し、一同に深い感銘を与えて講演を締めくくられました。

私が、いまやっていることなど、斉藤隆夫代議士の活躍と較べることさえおこがましい限りですが、おおいに勇気づけられました。また、いま私がやらなければならない責任を改めて強くしました。

その後、私から約50分、あいさつをさせていただきましたが、このサイトで述べていることと重複しますので省略します。ただ、俵先生はのご尽力により、少なくとも600～700名以上の方々と新しいご縁を結ばせていただきました。25年間も政治活動をしていますと全く新しい方々とお会いする機会というのは、実はあるようでむつかしいのです。俵先生および本会の開催にご協力いただいた方々に改めて感謝申し上げます。

00：30　上越市北城の自宅にて

---

1月21日（金）　No.16

**寒中お見舞い申し上げます**
**――付・自自公連立の政治論的批判（その2）**

今朝は雲ひとつない晴天でしたが、風は肌をさすような激しさでした。こういう日は、わが郷土は雪なんですよね。久しぶりの寒波到来です。寒中お見舞い申し上げます。

さて、今週は、月曜日に上京。火曜日には俵孝太郎先生の発起による「政教分離を貫く白川勝彦氏を激励する会」のため地元に帰り、19日は党大会および四月会幹部との懇談会、20日は宏池会事務所移転と国会召集日、本日は各団体の賀詞交換会と支援団体の新年会に出席して、20：08の新幹線で地元に帰ります。正直いって、今週はちょっと疲れました。この土日は、国政報告会・高鳥修代議士の叙勲祝賀会・合同新年会などハードな日程です。

今週は、各宗教団体などのさまざまな動きが各紙に掲載されましたが、実態はこれよりわが党にとってはるかに深刻です。いずれ厳しい現実が露わになってくるでしょう。それがどのようなものであっても、自業自得というものでしょう。そんな中で、私は、同志とともに「政教分離を貫く会」をすすめています。これについては、後日、改めて詳しく述べます。

なお「自自公連立の政治論的批判（その２）」をお届けします。ぜひ、ご一読ください。

〈現在では論文のページへ移転済です……筆者注〉

閑話休題

私の生まれた十日町市は、京都につぐ着物の産地です。景気の低迷と需要の長期的減退で売り上げが減少して困っています。しかし、何といっても、大切な唯一の地場産業です。１月20日、国会の開会式に十日町産の着物をきて出席しました。

平成の坂本龍馬たらんとする者としては、ちょっと整いすぎていますね。

17：10　議員会館にて

---

1月27日（木）　No.17

**アクセス、10,000を突破！**

本日16：35ころ、私のＷｅｂサイトのヒットカウンターが10,000を超えました。アクセスしてくださった皆さまに心からお礼申し上げます。

いままで、他人のＷｅｂサイトにアクセスしたこともない私が、必要に迫られて、また期するところがあって、このＷｅｂサイトを開いたのが昨年の12月１日でした。インターネットやＷｅｂサイトというものをよく理解していなかったために、アクセスされた皆さまにご迷惑をおかけしたことも多々あったと思います。

心からお詫び申し上げます。しかし、インターネットというツールをつかって少しでも“自自公連立の政治”の問題点を考えてもらいたいという必死さと真面目さをもって、取り組んできたつもりです。これからも、そのつもりで私も努力いたします。今後とも変らぬアクセスをお待ちしております。

ヒットカウンター数 10,000 突破（Ｗｅｂ master 注：現在、総ヒット数では一日平均で 10,000 を越えています）を期して、ＨＰを抜本的に作り変えたいと思い、Ｗｅｂマスターにお願いしておきました。近いうちに実行されるでしょう。私は、これまで自自公連立の政治的な問題については、学者や政治評論家が論評するから、どうしても手薄な憲法論的問題点を中心に論述しようと思ってきました。しかし、なぜか（賢明な諸氏は、その理由をすでに承知しておられることと思います）、不気味なほど政治評論の場において音無しであります。私としては、この分野において、発言してゆかなければならないと思い、「自自公連立の政治論的批判」を発表することにしました。まだ、未完ですが執筆を続けてゆくつもりです。

大阪府知事選にみられるように、創価学会＝公明党がある候補を応援することがはっきりすると、他の宗教団体をはじめ相当の組織がこれに反発し反対の動きをする、こんな現象が具体的となってきました。これは、当然のこととして予想できることでした。同じようなことが、衆議院の 300 の小選挙区で大なり小なり起きはじめています。これも予想できることであり、そのようになると私たちは指摘してきました。これが、今度の衆議院選の帰趨を決する可能性が十分あります。これは自由民主党にとって大きな問題があるだけでなく、日本の政治にとっても大きな問題であります。源氏か平家か？創価学会か反創価学会か？政治や選挙がこんな風に色分けされて語られ論じられる。21 世紀の新しい政治の枠組みを決めなければならない大切なこんどの衆議院選挙を、このようにしたのが自自公連立なのであります。私は、これを「世紀おくれ」の状態とよびたいのであります。実に、悲しいことです。

しかし、これはやむをえないことであり、避けてとおれない問題があるからです。

憲法 19 条
「思想及び良心の自由は、これを侵してはならない。」
憲法 20 条第 1 項
「信教の自由は、何人に対してもこれを保証する。いかなる宗教団体も、国から特権を受け、又は政治上の権力を行使してはならない。」

自由の根幹に関わるだけに、目をつむれ、黙れといわれても、自由主義者はそうするわけにはいかないのであります。自由は、それを失ったとき初めてその尊さを知るといわれています。しかし、それを失ったときは、もうおそいのです。そうなってしまってから、自由を取り戻そうとしても、多くの労苦と犠牲を払わなければならないのは必死です。

私たちのために、私たちの後につづく者のために、いま、私たちはほんの少しでよいですから、団結して汗を流そうではありませんか？　私のＷｅｂサイトが、そのひとつのたまり場になればと思っています。

17：20　議員会館にて

---

２月１日（火）　No.18

### 出るに出れない――結局、解散・総選挙

わがＷｅｂサイトも、開設して３ヶ月目を迎えました。今月は、政局が極めて緊迫します。マメに発信しますので、できるだけアクセスしてみて下さい。

さて、今日も４回連続しての与党だけの本会議がありました。施政方針演説などの政府演説が、野党のいない本会議場でなされたのは憲政史上はじめてだそうです。明日からは、予算委員会において平成12年度の予算の審議が始まるのですが、いまのところ、ここへも野党が出席する見通しは全くありません。

「引くに引けない」という言葉があります。いまはこの逆です。野党は「出るに出れない」のです。憲政史上はじまって以来の施政方針演説などをボイコットしておきながら、これは大切だからといって出席するというテーマをみつけることはなかなかむつかしいのではないかと思います。

仮にあるとすれば、このような状態をつくった議長の責任を問う議長不信任案なのでしょうか？　いずれにせよ、極めて異常な事態です。理由のいかんを問わず、異常な事態が長く続いた場合これを打開する道は、ただひとつ解散・総選挙しかありません。結局そうなると私は思っています。

それはいつか？　予算を通してから、いや予算だけではなく予算関連法案も通してからなど諸説ありますが、私はそんなにもたないと思います。このような異常な事態が２～３週間も続けば、解散せよというムードが高まってくると予測しています。事態は、極めて緊迫しております。

すべての審議をボイコットすることが、野党にとって吉とでるか凶とでるか、それは今後の流れをみないと判りません。自由民主党の多数意見は、野党にとって凶とでるに決まっているというものですが、私にはそう断言する自信がありません。なぜそう思うかというと、自自公というものに国民の支持がもともとないからです。自自公というのは、「悪太郎」というのが国民のとらえ方なんです。この悪太郎が、たまに良いことをしても世間は正しく評価してくれないで、大きな声をあげて泣いているイジメられっ子の方に味方するものなのです。与野党にとって、ギリギリの神経戦がつづきます。

HPの構成・デザインを変更しましたが、改めて精査すると不完全なところが多々ありました。相当直しました。かなり読みやすくなったり、整理されたと思っています。

私の一番の悩みは、「自自公問題に関心のある方は、必ずしもインターネットに強くない。インターネットに強い人は、必ずしも自自公問題に関心がない。」ということです。

いま、この文章を読んでいる方々は、私にとっては地獄で会った「仏」のような方々です。どうか、当サイトを通じて私の発するメッセージがより多くの方々に伝わるようにお力添えいただければ幸いです。日本の自由を守るため、どうかよろしくお願い申し上げます。

15：30　議員会館にて

---

2月6日（日）　No.19

## 「自自公連立の政治論的批判」の脱稿

「自自公連立の政治論的批判」の残りの部分を書き上げ、とりあえず脱稿しました。3章まで読まれた方、まだ、全然読まれていない方、ぜひお読みください。バタバタした中で書き上げたものですが、それなりに自自公連立の問題を総括的に触れたつもりです。ご批判、ご教示をいただければ幸いです。

昨日（5日）、東京から尼崎市に行き、公明党幹事長と激突する室井邦彦さんの大会で激励の挨拶をし、夜行列車で選挙区に帰り、五つの会をこなし最終の列車に乗り、先ほど高輪の議員宿舎に着いたとこです。夜行列車で寝ただけですので、さすがにちょっと疲れました。論文の最後の部分を書き終え、今この永田町徒然草を打っているところです。どうです、かなりタフでしょう。まだまだヤレるんです。私だけじゃないですよ、政治家はみんな肉体的にはタフなんです。ただ、それだけじゃ困るんですよね。相撲取りでもプロレスラーでもないんですから。精神的・思想的にタフじゃないとね。それが、自自公連立以後、極端に弱くなったような気がします。その辺のことは、論文に詳しく書いてあります。

今日は、ほとんどテレビを見ている時間がありませんでした。会合で聞いたのですが、鳩山民主党党首はかなり柔軟な発言をしていたとのこと。もし、審議拒否戦術に変化があればこれからの動きは随分と変わってくると思います。ただ、かなりきつい条件を与党が呑まないと野党は正常化に同意しないと思います。まだまだ予断は許されません。

解散というカードが、ここまでくると野党に対する牽制にならないのです。また、公明党が野党でなくなったため、野党の足並が乱れなくなったのです。国会対策上、公明党は野党でいた方がやり易いのです。この点でも自自公は強くないんです。国会対策は、なかなか難しいものがあります。

国会対策の専門家である、私の友人の川崎二郎代議士がいってました。

「与党は、三つあったら、二つしか取っちゃいけないんだよ。三つ全部取っちゃ必ず与党の横暴といわれるんだよね。」

示唆に富む話だと思います。いけ行けドンドンで、与党が突っ走ると思わぬ落とし穴に落ちる恐れがあります。

ところで、私のＷｅｂサイトを紹介する名刺が出来ました。出来るだけ多くの方に自自公問題を考えていただきたいからです。あまりこういう物はないんじゃないでしょうか。でも、私は必死なんです。そういうものがあろうがなかろうが、果たして効果があるかどうか判らなくても、やれることはやってみる。これが、私の way of life なんです。戦いを始めたら、勝つために全力を尽くす。その気迫・気概がなっかたなら、最初から戦いなどしない方がよいというのが私の生き方です。

この名刺、ご希望の方にどんどん差し上げます。事務所の方にお申し込みください。そして、私のサイトを友人の方に紹介して下さい。

今週は、大きなことを二つしなければなりません。「書込交流広場」、ちょっと、気になるんですが皆さんにおまかせします。何をするのか。それは、いまは秘密です。しかし、数日後には明らかにします。決して悪いことではありませんから、心配しないでください。

それでは、今日は早めに寝ます。

24：00　高輪の議員宿舎にて

2月11日（金）　No.20

## 本、今日中に最終脱稿します。

また、3連休がきました。最近は、メッタヤタラに3連休が多くなりました。もっともHappy Mondayの法律を作ったのですから当然といえば、当然ですよね。この3連休は、どう過ごされるご予定ですか。

ＢＢＳをご覧の皆さまには、間接的にお知らせしておきました通り、このたび本を緊急出版することにしました。そして、最終校正を今日中に終えて出版社に渡します。本を緊急出版しようと決めたのが2月2日、今日最終脱稿ですからかなり早いでしょう。しかし、内容はちゃんとしたものです。心配しないでください。2月23日には、見本が出来上がり、その数日後には書店に並ぶでしょう。

これ以上は、諸般の事情があり、お許しください。乞う、ご期待。

そんな関係で、非常に盛り上がっていたＢＢＳ（書込交流広場）でのやり取り参加できませんでした。しかし、多くの方が書き込んで下さり、だいたい勝負はついたと思います。あまりＢＢＳをクリックしないかたも、今回のやり取りは面白いし、テーマがテーマですから、ぜひクリックしてみて下さい。

国会は、一応「正常化」しました。私が予想した2月下旬の解散・総選挙は消えたと思います。しかし、そこから先のことは分かりません。私は、あまりそういうことは興味がないんです。大切なのは、政治の中味だといつもおもっています。今度の選挙のテーマは、なんといっても自自公が最大の争点になると思います。そういう意味では、与野党とも本当にかみ合った議論をしていないと思います。しかし、避けようとしてもこれは避けられません。自民党の総裁選がそうでした。また、避けてはいけないんだとおもいます。国民の自由に大きく関係する問題なのですから。

それでは、よい休日を！

11：35　上越市北城の自宅にて

2月15日（火）　No.21

## BBSへの誘い（その1）

「書込交流広場」(BBS) をご覧いただいていない皆さま方には、ちょっと意味が分らないところがあるかもしれませんが、まず、ちょっと以下の私のコメントをお読みいただきたいと思います。

**中村氏の「リベラル新党云々」と関連レスについての私の見解**

—2月15日白川　勝彦

自由民主党が、リベラルな路線を歩んでいるときは国民の支持を得るし、これと違う路線を歩んだときはこれを失うと私は常に考えてきました。こう考えて、自由民主党のなかでいつも私は戦ってきました。自由民主党が公明党と連立を組むなどということは、リベラルな路線にもっとも反することであると考え、私はこれに反対し批判をしているのです。こう考えている人は、党内に数多くいるし、そう遠くないうちに必ず多数派になると確信しています。

中村さん。あなたは、「小党分立は、私の考えとは異なります」「私は公明党を支援している」「リベラル新党は、(私たちにとって——白川注)健全な意味での対抗勢力となると思っている」といっておられます。あなたがいうリベラル新党に対抗する、あなたが属したいとする「対抗勢力」とは、一体何なのですか。

こういう議論をするときに、ご自分の基本的な立場を明らかにしないで問題を提起することは、やはりフェアなやり方ではないと思いますよ。政治とは、具体的問題に対する具体的決断だからです。あなたは、自由民主党自公連立派=公明党ブロックを想定しているのでしょうか。

確かに、自公連立派は現在のところわが党内で主流派ですが、これが永続するものでも固定化するものではありません。私たちは、そうしてはならないと思っています。また、自由民主党を長年にわたって支えてきた人々もそう考えています。この戦いを、私たちは自由民主党のなかでやっているのです。これは、自由民主党が自由民主党としてやらなければならない問題なのです。

この党内の問題を議論しているとき、公明党の支援者であり創価学会会員であるあなたが私たちに対し「リベラル新党に期待する。リベラル新党を作るべきである」という言辞を弄ぶのは、「自自公に反対ならば、自民党を出ろ」という俗言と同じことなのです。現に、自由民主党のなかでこんなことを言う人はいません。これは、自由民主党という政党、自由主義政党、もっといえば自由主義社会というものをよく理解できない人の主張です。

あなたが所属し支援をされている創価学会＝公明党と自由民主党は、根本＝基本が大きく違います。一見、仲良くいっているようですが、チグハグや不信感がいろいろなところででています。自自公連立は、必ず破綻します。また、こんなブロックを日本の政治の一つの軸にしてはならないと私は考えます。

リベラルな自由民主党を作る、これが私のライフワークです。「対創価学会対策が白川のライフワーク」ではありません。しかし、政教分離―国民の自由を守ることは、私のライフワーク以上のものです。命を懸けて戦います。それは、私が自由主義政治家だからです。この気概を私のWebサイトを通じて明らかにしているつもりです。どうかそういう観点から私の論述をお読みいただきたいと心からお願いいたします。

以上です。

2月13日、中村俊基氏の「リベラル新党に対する期待」と題する書込交流広場への書込みがありました。これに対し2月15日14:00現在、都合9件の書込みがあり、私の上記書込みが10件目です。

これは、一種のディベートです。私はこれらに全部が全部参加する訳ではありませんが、中村氏の発言は私の政治行動に直接関係するものでしたので、中村氏の発言、これに対する小山田さん他の反論、中村氏の再反論などを総合して私の見解を述べたものです。かなり緊迫したやり取りの模様は、書込交流広場（BBS）で、実際に見てみてください。

私のWebサイトは、テーマがテーマであるだけに私も記事内容や言い回しに最大限注意しなければなりません。もし、不用意な文言や内容があれば、しかるべきところから待ってましたとばかり攻撃されることは明らかだからです。

中村氏も、創価学会員であり、公明党の支援者です。全く個人的な発言かそれともある程度組織的な発言なのかは存じませんが、このやり取りを創価学会＝公明党が組織的にウォッチングしていることだけは疑いないでしょう。そのような状況のなかにおけるやり取りであることをご承知のうえ、お読みいただければ幸いです。

なお、BBS（Bulletin Board System ＝掲示板）については、1月30日付の「『書込交流BBS』を『書込交流広場』に変更するにあたって」と題する私の書込みに詳しく書いてあります。ご参照下さい。

14：10　議員会館にて

---

2月17日（木）　No.22

## BBSへの誘い（その2）

私はこのたび著書を発表するにあたり、私のWebサイトを紹介しようと考えました。そして、当然のことながら書込交流広場（BBS）を取りあげ、その雰囲気を読者に知ってもらいたいと考えました。そこで、念のため次のようなNOTICEを2月3日BBS上に掲載しました。

**書込みをされた方々にお願い**

今般、白川サイトの掲載内容を中心とした本を出版することになりました。この本の中で、当BBSの書込みを掲載する予定です。
つきましては…

**「重要」**
私の書込みメッセージは掲載してほしくない、困る、という方は、至急白川勝彦事務所（＊＊＊@shugiin.go.jp）へメールでお申し出ください。2月14日午前8時までにお申し出のない場合、合意されたものとして掲載します。編纂作業の都合による時間的制限ですので、あしからずご了承くださいますようお願い申し上げます。

これに対し、2月6日片山友一氏から「私のコメントは一切掲載しないでほしい」旨のメールが届きました。片山友一氏は石川県に在住される創価学会会員で、当日までにこのBBSに52件の書込みをされた方です。創価学会＝公明党の主張と同趣旨の書込みをされることが多かったのでこれに対する反論があり、さらにこれに対する片山氏の再反論もあったりしてBBS上のやり取りの絶好の例でした。しかし、片山氏から掲載してほしくない旨の回答であった以上、残念なことでありますが本の締め切りも迫っておりましたので、私はこれを著書に引用することを断念しました。

しかし、私も他の書込者も片山氏に対し真剣に対応してきただけに今後の

BBSの運営にとって大切な事実でありましたので、私は2月10日次のような書込をしました。

片山氏の一件と書込条件の追加ー重要　　　From：白川勝彦

書込交流広場の最初に書いておいたように、この度、本を出版するにあたりBBSの雰囲気をだすために書込みされた方々に承諾いただきたいとNOTICEをだしたところ、片山友一氏から「私のコメントは一切掲載しないでいただきたい」とのメールをいただきました。まことに、残念なことです。

私は、片山氏と私のやりとり、片山氏と他の方々とのやりとりを紹介したいと思ったのですが、それは片山氏のコメントを使わしてもらわなければできません。これだけ書き込まれたのは、片山氏として主張したいことがあるから書き込まれたのだと思うのですが、自分の主張が他のところで紹介もしくは引用されるのは困るというのは、私には理解できません。片山氏の書込にレスを寄せた方々も私とおなじ想いではないでしょうか。一体、これまでの片山氏の主張や書込みはなんのための書込みだったのでしょうか。

このWebサイトは、自自公の問題、政教分離の問題、そして自由の問題などを真剣に掘り下げて考えたいということで立ち上げたWebサイトです。もちろん、テーマがテーマですから、ある程度のことは予想も覚悟もしておりました。しかし、堂々の議論をしたいと思っていました。私は、もし私が不用意なことを書けば「聖教新聞」や「公明新聞」などで、待ってましたと攻撃されると覚悟して、あなたをはじめとする皆さんへのレスを書き込んできました。私が返信をしないことを含めて。

片山氏は、それでもこれからも書込みを続けますといっておられます。それは自由です。しかし、最近のあなたの書込みは、ちょっと常軌を逸していると思いますよ。もっと、冷静さを持って議論しようではありませんか。

以上のようなわけで、これからは余程のことがない限り私は、片山氏の書込みにレスはしませんからご承知おきください。このことを、このＢＢＳの常連の方々にも知ってもらうため今回の一件を紹介し、ご理解を頂きたく書かせていただいた次第です。

なお、今後、今回のようなことがないように、書込の条件として以下のことを第7項として追加させていただくことにしました。実りある、有意義な、また、責任ある意見や情報の交換ができるBBSとするための措置でありますからご了承の程よろしくお願いいたします。

この欄に書きこまれた文章の版権は主催者側にあり、他のメディアで掲載利用することがあります。文章の著作権は記述された方々にあり、これは委譲できません。この慣例に逆らうものではありませんが、「インターネット」は既存のクローズドなBBSとは違って「開かれた情報シェアリングの場」でありますから、この精神を尊重し、また、その精神の前提に立って、有意義な未来に向かえるよう取り計らいたく思います。

これに対し、片山氏から2月12日下記のような書込がありました。

**もっと常識てきに。**　From：片山友一

白川先生に申し上げます。

個人と個人のやり取りであるメールのやりとりを公表するのはネットでは非常識なことにあたることをお知りにならないようですね。

このようなことを書けば批判されることを確信したうえでの事と私は思いました。これではメールも送れませんね。白川先生には。

これは、また、ひとつの新しい論点です。メールのやり取りを公表することの是非をめぐる問題であり、また、BBS上の書込の性格をめぐる問題であります。インターネットが普及するにつれて、今後このようなことをどう考えていったらよいか、議論されなければならない問題です。片山氏の非難に対し、私は次のような回答を2月12日BBS上にしました。

**Re：もっと常識てきに。**　From：白川勝彦

片山さん、あなたも分からない人ですね。あるいは、なんでもとにかくケチをつける、そうすれば世間は盾突かなくなる、とでも思っているのですか。

私は、BBSで書込みされた皆さんに書込を引用させていただきたいが、それに承諾をいただけない人は申し出ていただきたいとNOTICEしたのです。BBS上で。

それに対してあなたはNOという意思表示をされました。私はその事実をBBSの上で紹介しただけです。それが何でいけないのでしょうか。これは、BBSの運営にとって大事なことだと判断したから、事実を事実として書き込んだだけです。あなたの書込に対する私の対応にも密接に関連する事実だからです。同時に、あなたの書込みに真剣にレスをした書込者にとっても大事な事実と判断したからです。

あなたのメールを全文紹介した訳でもありませんし、BBSに関係ないメールを公表した訳でもありません。どこが非常識なのでしょうか。私も現役の弁護士です。著作権やプライバシーについて十分配慮しなければならないことは誰よりも知っております。

一時、「ああいえば、こういう。こういえば、ああいう。」というのが流行ったことがありますね。あなたの当BBS上の活躍はそんな感じがします。誰もが見れるインターネット上の書込みは、半分は公のものじゃないでしょうか。これを引用させていただいても本質的に著作権の上では問題ないと思いましたが、念のためあのようなNOTICEをしたのです。これに対して、あなたはＮＯといいました。だから、私はあなたの書込みを引用しないことにしました。しかし、あなたの書込みはこういう性質のものである、したがって今後の私の対応も当然のこととして違ってくる、他の方々の対応も当然のこととして違ってくる、そのような大事な事実だからBBSの上で明らかにしておく必要があると私は判断したのです。

私は、あなたの気持ちを尊重してあなたの書込みはつかわないことにしました。そして、もう出版社に最終原稿をわたしました。NOだという人に、頭を下げてまでお願いする必要はないと思ったからです。

BBSをご覧のみなさん、どう思われますか。私が非常識なことをしたんでしょうか。意見があったら書き込んで下さい。

以上が、片山氏の書込に関してBBS上でなされたやり取りです。詳しくは、BBS

上で現物をご覧下さい。そして、ご意見・ご感想がありましたら、書込をされるか、私までメールをいただければ幸いです。

14：00　議員会館にて

---

2月19日（土）　No.23

### 「政教分離を貫く会」の設立とその反響

朝めざめたら有名になっていた、ということばがある。「政教分離を貫く会」は、そんなような気がする。この会の設立については、昨年の暮以来同憂の士が集まり、趣意書等もつくり同志を募ってきた。私もこのWebサイトで、そうした動きがあることを触れてきた。関係者の間では、秘密でも何でもなかった。

通常国会の冒頭から国会は不正常な状態が続き、国会対策でわが党執行部が努力していることも配慮して、2週間くらい前にやろうとしていた記者会見もあえて延期してきた。しかし、この間にメンバーもふえ、32名となったので、やはり一度はキチンと記者会見をしておいたほうがよいだろうということを17日に決め、昨2月18日午後2時から院内の平河クラブで記者会見したところである。そしたら、この騒ぎである。

NHKでも報道されていたとのことである。私は移動中と3つの集会に夜遅くまで出席していたので見ていない。今朝の新聞では、かなり大きく扱われていた。「政教分離を貫く会」が急に有名になってしまった。これに対する公明党幹部の反応が、おもしろい。

神崎代表「自自公連立は党と党の合意に基づく連立だ。(「貫く会」の正式発足は）後ろから鉄砲を撃つようなものだ。疑義があるなら自民党を離党して堂々と議論してほしい。」

冬柴幹事長「貫く会の名簿に載っている議員とは完全に敵対する」と述べ、次期衆議院選で「貫く会」のメンバーを支援しない方針をつたえている。

（いずれも、読売新聞から）

永田町徒然草No.21と22でお伝えした中村俊基氏と片山友一氏と全く同じことをいっています。これでは、神崎代表や冬柴幹事長は、中村氏や片山氏と同程度というか同格といわれても仕方がないんじゃないでしょうか。いやしくも公明党の代表、幹事長としてはもっと見識と含蓄のある発言をしてほしかったところですね。

それよりも、本題の「政教分離を貫く会」の趣意書、代表世話人、記者会見メモをここに載せます（写真版では読みにくいと思いますから）。創価学会＝公明党は「完全に敵対」視するそうですが、お蔭様で、「政教分離を貫く会」への参加希望者は、日に日にふえております。今後の私たちの活動にご注目ください。「正邪曲直、自ずから分明」の気概でがんばります。＜趣意書は本書199頁に掲載済ですので省略……筆者注＞

**記者会見メモ**

１．昨２月17日午後２時から設立総会を開催し同日付けで、正式に「政教分離を貫く会」を設立した。
２．その席で別掲の10名の代表世話人を選出し、また、今後、会員の増強に努めることにした。（設立時の会員数は、32名である。）
３．会員資格は、自由民主党所属の衆参国会議員とする。
　また、
①前回の総選挙、参議院通常選挙などで自由民主党公認候補として立候補したことのある者。
②次の総選挙に立候補する予定の自由民主党の小選挙区支部長となっている者で、本会の趣旨に賛同する者は、準会員として参加できることを決定した。
４．その他の役員、運営上の事項は代表世話人会において決定し、特に重大な事項は総会の承認を得るものとすることを決定した。

11：30　上越市北城町の自宅にて

---

2月24日（木）　No.24

## 『政教分離を貫く会』に対する異状かつ過剰な反応

わずか32名の自由民主党の国会議員で設立した『政教分離を貫く会』は、ますます有名になりました。野中幹事長代理をはじめとする一部のわが党幹部や公明党幹部の異常ともいえる過剰反応があったからです。これらの記事は、別に掲載しておきましたのでご覧ください。これら一連の報道は、広告費に換算すると数億を下らないこと請け合いです。ただ私が憂うることは、これら一連の報道がわが自由民主党のイメージを著しく落したということです。このことにわが党幹部は気が付かないのか、なさけなくてしょうがありません。

私の知り合いが、私にこう言いました。

「自民党は、ゲシュタポみたいなことをするんですか」

言いえて妙な表現だと思います。永田町徒然草 No.23 でお伝えしたとおり、2月18日夜公明党の冬柴幹事長は、「(政教分離を)貫く会の名簿に載っている議員とは完全に敵対する」と述べています。そして、わが党の野中幹事長代理は各派から出ている副幹事長に32名のメンバーを割り出せと命じています。割り出して一番喜ぶのは一体誰でしょうか。それは、『政教分離を貫く会』の32名と「完全に敵対する」と公言している創価学会=公明党じゃないでしょうか。だから、彼はゲシュタポといったんだと思います。今回のわが党の幹部の言動は、世間にはこのように映ったんだと思います。

正直いって、私たちにとって32名は最初から秘密でもなんでもありませんでした。ただ、いまになって考えると記者会見で氏名を発表したのを代表世話人10名だけにしておいてよかったと思います。私たちは、創価学会=公明党を恐れるものでは決してありませんが、「さあ、どうぞ撃ってください。」とこちらからわざわざ標的を明らかにする必要は毛頭ないと思うからです。これは、戦いだからです。

ちなみに、「自自公連立とは、結局、創価学会マフィアと旧経世会マフィアの結託である」をもう一度読んでみて下さい。昨年11月の私の直感は間違っていなかったと思います。

党執行部の恫喝があったため、会を辞めたいといってきた人は一人もいません。ありがたいことは、この一連の報道を通じて「政教分離を貫く会」の結成を知って、また、党執行部の理不尽な言動に憤慨して新たに3名の方が参加して下さいました。感激です。自由民主党、いまだ死なず。私たちは、ますます意気軒昂です。

ところで、かねて予告しておりました本、きょう見本本が届きました。それなりの自信作だと思っています。書店に並ぶのは、3月4日前後だそうです。お急ぎの方は、私の事務所にお越しください。来週の火曜日から用意しております。題名は「自自公を批判する」。定価は1,600円です。

23：10　高輪の議員宿舎にて

# V

# 書込交流広場——書込交流BBS

わたしのWebサイトには、「書込交流広場」（一月までは「書込交流BBS」）があります。インターネットは、双方向の情報伝達手段といわれていますが、一つのWebサイトに双方向性があるかないかは、このBBSによって決まるような気がします。BBS（Bulletin Board System＝掲示板）の由来や役割については二七六頁を参照して下さい。

私のWebサイトで最もヒットが多いのが、この「書込交流広場」です。ただ活字があるだけのページですが、これが最も多く見られているのです。面白いことです。私も、ホームページ（Webサイトの一番元のページのことです。全体は、Webサイトとよびます。）を開いて、一番最初にクリックするのがここです。

BBSは、ときにはディベートの場となります。緊迫した場面も何度かありました。書込者の希望により、これは掲載できませんでしたので、直接Webサイトでご覧ください。こうしたやりとりのなかで問題の理解が深まります。そして、私のWebサイトをとりまく人の集まりが確実にできつつあることを感じます。

Webサイトの開設から九〇日間で、BBSへの書込は六〇〇件に達しました。全部を掲載することはとてもできませんが、その一部を紹介します。この本の感想などを「書込交流広場」にお寄せいただければ幸いです。インターネットができない人は、原稿を書いて若い人に頼めば簡単に打ってくれるはずです。また「書込交流広場」をみることは、極めて簡単にできます。インターネットに加入している近くの人に頼めば、すぐ見せてくれます。一度チャレンジしてみてください。

なお、掲載にあたり単純な打ち間違いなどは私の責任で訂正しました。

## ＢＢＳ開設にあたって一言

From：衆議院議員　白川　勝彦　Category：その他　日付：06 Dec 1999
私のＨＰにアクセスいただいてありがとうございます。このＢＢＳは，皆さんの意見や提案を自由にいただくページです。私も出来るだけいただいたものに対しご返事，意見をかくつもりです。

## 頑張ってください。

From：坂井隆昭　Category：その他　日付：23 Dec 1999
初めまして。私は、テレビで何度か白川さんの意見や考え方を聞いて大変、共感を持ちました。

特に、日曜日の朝の番組で、公明党議員に「自自公の連立が成立したらどうする。」と問われ、

「まだ、成立していない！」

さらに、「もうすぐ、成立しますよ。どうするんですか？」と言われると
「だから、苦慮してるんです。」

私は、その真っ直ぐな答えに感動しました。しかしながら、白川さんらの頑張りも虚しく、「自自公」となってしまいました。その後、週刊誌では、白川さんの名前を目にしても、テレビではあまり見かけなくなり、寂しく思います。

私は、選挙区も違い直接、白川さんを応援する事が出来ないのが残念ですが、１国民として応援していますのでこれからも、頑張ってください。

## Re：頑張ってください。

From：白川　勝彦　Category：自公連立　日付：23 Dec 1999
お便りありがとうございました。私がいったとおり、自自公の評判はすこぶる悪く、いずれ、こんなものは解消せざるをえなくなるでしょう。だから、その後も、信念を曲げることなく、仲間とともに元気で頑張っていますから、心配しないでください。また、ときどきお便りください。
白川　勝彦

## 自公連立政権は何をしたいのか？

From：間　孝行　Category：自公連立　日付：06 Jan 2000

みなさんはじめまして。

自公連立政権について素朴な疑問。自民党と公明党が連立政権を組んで、何をしたいのか、日本のをどのような方向へ導こうとしているのか、または日本の将来像をどのように考えているのかが、まったく見えてこないので、わかりません。連立政権に対する国民の不安が根強いのも、そこに一因があるかと思います。何か"共同声明"のようなものがあるのでしょうか。

また、自民党と公明党との関係で思い出したのが平成5～6年頃の、オウム真理教事件をきっかけとした宗教法人法改正問題です。オウムのような団体を二度と出さないようにするための法律改正で、なぜ、自民党と公明党（当時の新進党）が議場にピケを張るほどの大喧嘩をしたのか、この問題はその後どうなったかについても、どなたか教えてください。

末筆ながら、白川先生の今後のご活躍をお祈り申し上げます。

（新潟県第6区）新潟県津南町：間　孝行

## Re：自公連立政権は何をしたいのか？

From：白川　勝彦　Category：自公連立　日付：10 Jan 2000

定数削減ひとつとっても、自由民主党、自由党、民主党は比例区から50削減すべきと考えています。この3党が力を合わせれば実現できるのです。それがややっこしくなったのは、比例区の定数削減に反対の公明党が連立にはいってきたからです。児童手当も自由民主党としては理解に苦しむ内容でした。憲法問題とは別に、政策面でもいろいろと問題があるんです。あなたのおっしゃるとおりです。だから、私は反対しているのです。こんなことが長く続くわけがありませんし、続けさせてはいけないのです。

## 創価学会流の議論について

From：佐貫修一　Category：自公連立　日付：07 Jan 2000

自自公をめぐる議論を拝見しました。それにしても、創価学会や、その会員のやり方は汚いの一言につきます。創価学会が公明党を支配し、都合次第でいかようにも動かしていることは、多くの関係者（竹入元委員長・矢野元委員長・大橋元代議士・藤原行正・竜年光元都議会議員、その他何十人という元・或るいは現職公明党議員）らの証言で明らかです。嘘を平気で言うような人物に、正当な議論をする資格はありません。又、批判者や脱会者に対して脅迫、暴行、いやがらせ、怪文書などで危害を加えることを常套手段としており、その被害者は実に多数におよんでいます。それらは、ほかならぬ池田大作の檄に呼応して起こっているのです。昨年暮の東京地方裁判所での判決では、創価学会が、何と写真を偽造して日蓮正宗管長を中傷していたことがはっきりと認定され、池田大作は２００万円の損害賠償支払いを命じられているのです。それにもかかわらず、反省の色はまったくなく、かえって開き直っているのだから、あきれます。又、日蓮正宗寺院に対して、学会員が自分の家族の遺骨を密かにマグカップに入れ替えておいて「寺院側がやった」と訴え、裁判所にカラクリを見抜かれて敗訴しています。山崎正友氏が内部告発した「宮本宅盗聴事件」は、共産党が提訴し、とっくの昔に学会側が敗訴して、北条浩氏の遺族は、損害賠償金を支払っています。創価学会の組織の犯行が認定されたのですが、この裁判でも、学会側証人のみえすいた偽証が目立ちました。山崎正友氏の内部告発した事実は、後にほとんどすべてが真実と判明しています。創価学会は、しかし、指摘された事実には何ら応対せず、ひたすら山崎正友し対する個人攻撃に終始しています。これは、竹入氏に対しても同じ対応をしています。問題提起にこたえず、もっぱら提起した人の個人攻撃を最も下劣なやり方で行う創価学会に所属していて恥ずかしく思わぬ人が多いということに私はあきれます。しかし、オウム真理教だって、いまだに信者がいるのですから、マインドコントロールされた人達の心理はわかりません。山崎氏の恐喝事件は冤罪であり、「いずれ再審請求しなくてはならぬ」と同氏もいっています。再審の裁判には金も時間もかかり、証拠集めも必要でしょう。山崎氏は昂然として獄に行き、帰ってきました。私をはじめ、彼の友達は、彼の人間性を信頼してつきあいを続けています。このような、ウソツキで卑劣な創価学会が、この国を支配するようなことになったら、この世は暗黒だと思います。白川先生がんばってください。宗教が政治を支配するような事態は、今までこの国にはありませんでした。第二次大戦の敗戦で、初めてこの国に導入された「政教分離」の原則について、学者が充分な検討を加えてこなかったのも当然です。私達は、日本国憲法のモデルであるアメリカの「政教分離」原則を見習うべきです。アメリカでは、宗教団体が政治活動をすれば「免税」の恩恵が取り消されるというではありませんか？私は、もちろん一般論として宗教団体や信者が、宗教活動のかたわら、政治活動をすることを否定するものではありません。そんなことは一度も云ったことはありません。宗教とは名ばかりで、組織をあげて政治活動を行ったり、政党を支配して政権を握ろうとするような団体や行為は「憲法違反」だと言っているのです。創価学会流のスリカエ論議はもうたくさんです。

・・・・・・・・・・・・・・・・・・・・・・・・・・・・・・・・・・

## Re：創価学会流の議論について

From：白川　勝彦　Category：その他　日付：10 Jan 2000
　週刊誌で読んだだけなんですが、形式的には何の権限もない池田大作氏に、責任があるとした判決ならばその意味するところは極めて大きいものがあります。読んでみたいので送っていただけませんか。

・・・・・・・・・・・・・・・・・・・・・・・・・・・・・・・・・・

## Re：創価学会流の議論について

From：佐貫修一　Category：自公連立　日付：12 Jan 2000
　判決文、早速おくります。

---

## 創価学会流のスリカエ論議をやめて、真摯な議論を望む！

From：後呂雅巳　Category：自公連立　日付：07 Jan 2000
　公明党の創始者は池田大作です。池田大作自身が、何度も「自分が公明党を作った。」と言っています。そして「作った人だから、自分は公明党に責任がある」と公明党に介入することを正当化しています。又、池田大作も、創価学会も、「教義を実現するため、やらなくてはならないから、政治活動をする」ともいっています。"私達が自分たちの意思で政治をよくするために仲間を国会に送っている"というようなキレイごとではなく、池田大作が、日本の支配者になるため公明党をつくり、議会にその手先を送っている、というのが実態です。竹入氏や矢野氏についても、池田大作は「自分が見つけ出し決めた人事だ。」ということを、かつて自慢しているのです。「私は、人物の器量を見抜き、抜擢する才能がある」というのです。その竹入氏が、回顧録で、創価学会による公明党支配の事実をブチまけ、言論問題で、田中角栄氏の力をかりたことを公表すると、こんどは、竹入氏に対してあらんかぎりの個人攻撃、中傷を加えました。最大の卑劣漢だというのです。そんな人物を見つけ出し長い間、公明党の責任者にしていた池田大作の"人物観"はまるでふし穴だったのでしょうか。また、多くの宗教団体が、政党や人物を応援していることは事実です。しかし、「教義を実現するために必要だ」などという教団はいません。又、政党をつくり、支配していたという教団は、創価学会とオウム真理教以外にありません。又、支援している教団の長を批判したからといって、議員を除名にするというような政党は、公明党以外にありません。「池田先生の弟子として、池田先生を守るために働きます。」と公約して議員にしてもらうような政党も、もちろん他党にはいません。公明党員というのは、創価学会の組織の中で形式的に決められ、党費をお収めるだけというのが実情です。公明新聞の部数も創価学会が決めますから公明党の財政は、創価学会によって決められるのです。又、公明党は創価大学や葬儀会社と同様、創価学会の外郭団体の一つとして、すべての面で創価学会の支配を受け、監査されることが、内部文書であきらかになっています。こうした、事実を無視して、(本当に知らないのか、知らないふりをしているのかわかりませんが) 創価学会と公明党の関係を、他の宗教団体の政治活動と同列に論じるのは悪質な問題のスリカエです。白川先生は、こうした事実を充分調査の上で発言されていることは、インタビューや著述の中で明白な事です。更に、一言論及したい。批判者の個人攻撃ばかりして、批判内容に一向にこたえていないというやり方は、卑劣だし、下品です。その行為自体で、自らの非を認めたも同然です。「山崎正友は恐喝の前科者だからつきあうのはけしからん」といわんばかりの論法は、正しく"差別"であり"人権侵害"ではないでしょうか。聞くところによれば、牧口常三郎氏は獄死し、戸田城聖氏も獄に投ぜられたというではありませんか。そのことで両氏の宗教上の功績が割引かれるというようなことはないでしょう。山崎氏は、一貫して"冤罪だ"と主張しています。そして当然のことながら、2年余りを刑務所で過ごしたことを隠そうともしていません。刑務所に行った経歴があろうと、言論の自由は保障されているはずだし、だれとつきあおうと、そんなことを他から云々されることはないでしょう。白川先生は、事実を調査するため、多くの人達と会われたことと思います。山崎正友氏もその一人でしょうし、その云うことに真実性を感じられたのでしょう。"創価学会・公明党の国政支配を許すことは憲法違反だ"という論議と、山崎正友氏の経歴は何の関係もないことではないでしょうか。

・・・・・・・・・・・・・・・・・・・・・・・・・・・・・・・・・・・・・・・・・・・・・・・・・・

## Re：創価学会流のスリカエ論議をやめて、真摯な…

From：小山田洋子　Category：自公連立　日付：18 Jan 2000

全くそうです。同感致します。法華経社会主義に凝り固まると権力達成の目的の為に向かってしまいまともに話せなくなってしますのでしょう。ただ、小渕政権がその目的達成の為の手助けにならないように願うばかりです。彼らにとっての常識が、日本の常識になった日には？おお、恐ろしい。今回の自公連立は権力と金には誰だって弱いという事を宣伝している様なもの。創価学会（精神、経営、実質上イコール公明党！！）の価値基準が内閣に持ち込まれる事は私達国民に取って自由価値喪失に値すると信じております。信者の家庭崩壊も省みず広宣流布を強いるファシスト達と自由民主党が手を結ぶのは国民（民主主義国家において）に対する裏切り行為です。どうしたって強欲に写るこの宗教団体の幹部達は宗教者（界）におけるイメージの崩壊です。自分の家族さえ学会に入会出来なければまだまだだという考え方で内閣に入ってこられたら国民が不安になるという心理さえ想像できない首相にがっかりしました。経済回復、それから議席の獲得のプレッシャーからの判断でしょうがもっと大切何か（思想など）を確実に失う方向に向かっています。どうか、この白川先生の勇気とこのサイトが発信源となり日本が資本主義、租税国家をこれから営んでゆく上で、宗教法人法の見直し、地域社会の復活、伝統仏教、その他伝統宗教の見直し、他宗教への理解が行われ上で子供たちの宗教参加への自由、（価値判断が出来ない子供に植え付けるには新興宗教はあまりにも過激だと想うから）など民主主義の思想を正しく教えた上で将来子供たちが成長して彼らの道を歩ませてゆく姿勢を見直さないと、活動が活発で家族を巻き込む新興宗教にこれからこの国がのっとられる危険性を感じます。

経済の回復もとても大切。だけど、思想も伝統も無いただの拝金主義国家に明るい未来はあるでしょうか？

こういう時代だからこそ、民主主義国家として、自由や権利や資本主義だからこそ必要な正義を伝えて国民のリーダーとして夢を与る事が必要だとおもいます。

ころっころ変わる政治、そんな事で子供たちが大人を尊敬するでしょうか？そして、自分の体や、本当の自分の権利や自由を大切にするでしょうか？

だから創価学会が、宗教団体が出版するナポレオン崇拝（英雄、だけれども人殺しじゃないか！！！）の本を買い求め、そうか、ガンジーも政治活動したんだからって（ＳＧＩのホームページより）私欲をなげうって生涯に渡り非暴力運動を説いた彼と学会とだぶらせてしまうような非常識をふせげるかもしれない。

これが非常識ではなければ、私は何をこれから常識にしていきたら良いのでしょう？

本当に、池田さんが天下とるぞーとか、デージンデージン発言、その他自由の砦に掲載されてる事が事実であるならば馬鹿らしくて激しく失望致します。それから数々の未決の事件、これ知りつつ連立政権に持ち込んだとするなら、はっきり言って大ＸＸＸ郎。（御免なさい、感情的になってしまいました。ご存知なかった事をお祈り致します。）

あー、悲しい。

・・・・・・・・・・・・・・・・・・・・・・・・・・・・・・・・・・・・・・

## Re：創価学会流のスリカエ論議をやめて、真摯な…

From：白川　勝彦　Category：自公連立　日付：10 Jan 2000

長文のメッセイジありがとうございました。まだまだ勉強が足りません。いろんな意見をお寄せ下さい。

---

## 自民党の変節について

From：平井　Category：自公連立　日付：07 Jan 2000

昨今の自民党の姿勢を見て思うのですが・・・。権力におごって、国民や支持してきた宗教界の意向を無視してきたことが、自民党が支持を失ってきた原因です。

政権に返り咲くまでは、自民党も政治の在り方を反省する姿勢だったのに、権力を回復したら、たちまち昔の自民党に逆戻りです。権力さえ握れば何をしてもよいという経世会支配は、自民党を滅ぼします。一日も早く、小渕首相には退陣してもらいたいものです。そのために、白川先生に頑張ってもらいたいと思います！！

・・・・・・・・・・・・・・・・・・・・・・・・・・・・・・・・・・・・・・

## Re：自民党の変節について

From：白川　勝彦　Category：自公連立　日付：10 Jan 2000

激励ありがとう。私も半分くらい愛想がつきつつあります。しかし、私と同じように自由民主党を愛する仲間がいますから、短気を起こさずにガンバっているのです。見ていて下さい。

## Re：自民党の変節について

From：森田智仁　Category：自公連立　日付：10 Jan 2000

白川さんはじめまして。党内外で色々と大変なのは想像できます。私は白川さんに賛同いたしますし、はっきり言って、このままでは、日本が焦土化してしまうと本当に危惧しております。まず、このままでは自民党は駄目になります。なぜかというと、はっきり言って国政選挙における自公の選挙協力は自民党にとって自殺行為です。国政選挙とわざわざ書いたのは、地方議会では自公与党で地方自治がマンネリ化や談合化していることに、私自身すごく不満があるからです。そう思っている人は私だけではないと思います。地方選挙レベルでは我慢できても（それでもかなりの不満があると思います。特に自民党支持者からすれば）国政選挙は別です。このままでは、自民党は駄目になるでしょう。私は民主党がたとえ選挙に勝っても、単独過半数は取れないので、おそらくというより絶対に公明党がキャスティングボードを握るでしょう、こんなに公明党に振り回されっぱなしの政局に憤慨している人間は多いです。これでは多くの人が政治に無関心になるのは当然です！！それがわかっていても学会が怖くてあからさまに言えないのです。国家公安委員長を歴任された白川代議士にあからさまに攻撃を仕掛けてくるのですから、普通の人間は虫けら同然です。でも白川さんや加藤さんのことを支持する人は選挙区を越えて多くいると私は思います。もっと白川さんがどのような政策をお持ちか色々と知りたいのですが、今は自自公（特に自公）問題に本気で取り組んでいるので無理は言いません。最後に私から言わせてもらえば、もう選挙の時に都合のいいことばかり言ってるだけでは困ります。国の借金のことを考慮するといち早く財政再建をやっていただかなくては困ります！！しかし今政府がやっていることは、連立を対策費といわんばかり、浪費型の予算です。特に地域振興券は愚策で、ただ国会対策費で借金を増やしただけです。早くこんな馬鹿な政治をやめる上でも、自民党は単独過半数を取りに本気で政治をすべきです。その際にくどいようですが、甘い事を言っているばかりでは駄目です。厳しいを言ってでも今の体質から脱皮する政治をしてほしいし、そのためのビジョンをきちんと示せば、今無党派な人や他党支持者でも自民党を支持します。今のままであればば、私は自民党を支持しませんし、そのような人は多いと思います。新聞の記事によると民主党が反創価学会系の宗教団体との選挙協力を露骨に模索してますが、本当にこのままでは自民党の票田は減るし、何よりもかわいそうなのは、反創価学会系の宗教団体が民主党を支持しても、民主党主軸の連立政権となって時に、公明党と連立を組む確立は高いですというより組むでしょう、なんとも皮肉なものです。

僕は、とにかく白川さんや加藤さんに頑張っていただきたいし、選挙区が違うので直接選挙で投票できませんが、それでも何かできることを模索します。

初めての書き込みで、自分の思うことをありのまま書いたので、読みづらい文書ですが、私にできる今の政治への抵抗ですので。ご勘弁ください。

---

## 新しい視点

From：香坂　Category：自公連立　日付：10 Jan 2000

白川先生の「政教分離論」に賛成です。以前、学生時代に読んだ政治学の本の中に「民主政治」の弱点として、「個人の意思をマインドコントロールして操作することで国民の真意を曲げ、独裁政治の道を開く恐れ」をあげていたのを思い出しました。個人の内心を操作する方法として、薬品を用いたり、テレビで問題になったサブリミナルという一種の催眠的手法がありますが、オウムや創価学会のように、信仰心を利用するという方法は、最もポピュラーなのではないのでしょうか。だからこそ、アメリカやヨーロッパではカルト対する社会的警告がさかんに行われているのです。更に、マスメディアや音響、群集心理等を利用することも考えられます。宗教団体は、「信仰の自由」といえば、何でもできると思っているのでしょうか。宗教活動、或るは、宗教団体の活動といえど、おのずから制約はあるはずです。宗教が政治を犯さず、政治が宗教を害せず、という点から、現実的な解釈、判断をすべきです。

・・・・・・・・・・・・・・・・・・・・・・・・・・・・・・・・・

## Re：新しい視点

From：白川　勝彦　Category：自公連立　日付：10 Jan 2000

私は、自由、憲法の問題として自公連立を批判しています。それ以外の見方もあると思います。6－7割の国民が自公連立に反対しているのは、貴兄のような意見をふくめていろいろあると思います。私がいちばん聞く意見は、宗教が政治に介入してほしくないというものです。

---

## 地方政界での公明党・学会の実態

From：瀬戸　大雄　Category：地方自治　日付：11 Jan 2000

私は、昨年まで地方議員をつとめていました。地方の政治・選挙を舞台に繰り広げられる創価学会と公明党の実態は非常に醜く程度が低い。およそ民主主義などと言えないことが多い。”実態その一”私のかつての同僚議員（公明党所属）は、公務のため同乗した公用車の中で目前にある道路を指さし「この道路から向こうが私の区域で、手前が××議員の区域です」と言ったので、別の議員が「何のことですか」と聞くとその区域とは学会員が自分に投票する人と別の公明党議員に投票するとを分けるものだと、臆面もなく言っていました。その姿を見て、人に関係なく投票するという怖さと、住民周知のことでも、こうも堂々と口にする議員の品位の低さを感じたものです。”実態その二”選挙運動中、知り合いの紹介であるお宅に立ち寄って自己ＰＲをしていると、「あなたのお話はよく理解できるんですが、私は学会員で〇〇議員という入れなければならない人（入れたい人ではなく）が決まっているんで…」と困った顔でいうので、そうですかと帰ろうとしていると、「ところで〇〇さんてどんな人なんですか」と聞かれびっくりしました。結局、投票する人の顔も年齢も知らないのです。もちろん政策や考え方もです。”実態その三”町長選挙の時、大方の予想を覆して僅差で現職が破れました。私は敗れた候補者と姻戚関係にあったため後日談として裏話を聞きました。「公明党幹部と政策協定をして支持をするとの確約を得ていたが、投票前日になって突然支持はできないと申し入れがあった。」その幹部の身内は選挙直後に採用予定のなかった役場に採用され、当局と職員組合の対立にまで発展したとのことでありました。

もっと書くことはありますが、これが地方政界での現実の一端です。私は良識ある学会員も知っていますので、彼ら（学会員全体）をかわいそうにすら思います。特定の宗教を支持したばかりに自由主義国家の根幹である“自由な選挙”をさせてもらえないのですから。そればかりか選挙と言えば応援にかり出され、選挙で頑張ることが宗教上の功徳につながると信じているんです。このＢＢＳでも政教分離について内閣法制局長官談話等を引き合いに出し、盛んに憲法論議がされています。それはそれで結構なことですが、前述の実態を知る私（だけではないと思いますが）にとっては全く空虚に聞こえます。いくら論理で突っ張っても、ぬぐい切れない現実があります。日本国民はいかなる宗教を信じようと、その宗教が特定の政党を支援してもかまわないと思います。しかし、白川代議士の言う“支配と被支配の関係”があるのかないのかが論点の分かれ目となると思います。

## Re：地方政界での公明党・学会の実態

From：白川　勝彦　Category：自公連立　日付：11 Jan 2000

たいへん貴重な体験・実態を教えていただき感謝いたします。こういう事実をきちんとおさえることが、政教分離の問題を考える際必要なんです。抽象的な理屈を並べてもしょうがないのです。たいへん参考になりました。

## 私の選挙の投票に対する姿勢

From：間　　孝行　Category：自公連立　日付：11 Jan 2000

昨年の「地域振興券」は、公明党嫌いに火に油、ではなく“火に爆薬”を注ぎました。15歳以下の子供と70歳以上のお年寄りに一律2万円の商品券配布。しかしそれ以外の人にとっては、財源となった赤字国債の償還という“増税”以外の何物でもないからです。私はその増税組です。公明党は、地域振興券の実績を盛んに宣伝しましたが、年金や医療と違い、1回きりの政策で、恩恵を受ける人と受けない人とを、世代でもって“差別”したことは、心情的に許されないだけではなく、憲法の「法の下での平等」に反すると思います。

それ以上にけしからんと思うのは、選挙での“棄権者層”です。気に入った候補者がいないとか、「棄権は無言の抗議の意思の表れ」とか言っているが、棄権した人達の意思が実際の政治に反映された例はただの一度もない。棄権者層の意思は無視され続けられるのが常です。棄権者層の行動は自公連立政権で権力を行使する側に回った公明党に“実印をついた白紙委任状”を渡すようなものです。政治がおかしくなったのは、自民党や公明党だけの問題ではなく、勝手放題させることを見過ごした棄権者層も同罪だと思います。

「自公連立はいやだ」「現状を何とかしたい」ならば、四の五の言うより選挙の投票で意思を示せばいいのです。選挙の結果こそ“究極の世論調査”なのです。“選挙”となると、決まって創価学会の知人から投票依頼の電話が来ます。その一生懸命さ（しつこさ！）は他党派顔負けです。でも、いくら頼まれたとしても、いい加減な理由で票を入れたくはない。自分の目と耳で確かめて、“この人なら”と期待できる人に一票を入れたい。個人や宗教のためではなく、“日本全体”のことを考えてくれる人に……。

長くなりましたが、これが私の選挙の投票に対する姿勢です。総選挙が近いと予想される今、敢えて書きました。

（新潟県第６区）新潟県津南町：間　　孝行

・・・・・・・・・・・・・・・・・・・・・・・・・・・・・・・・・・・

## Re：私の選挙の投票に対する姿勢

From：白川　勝彦　Category：自公連立　日付：12 Jan 2000

おっしゃるとおりだと思います。こんなことがありました。一昨年の参議院選挙、投票率が高かったですよね。マスコミが投票を煽ったとか、評論家が悪いとかいろいろ言われ、そうこうするうちに、最後には投票時間を延長したことがけしからん。誰がそれをやったんだということになりました。あれ、私が自治大臣のとき決断してやったんですよね。正直いってなんとなく気まずい立場にたたされましたが、私は腹の中で笑っていました。投票率が高くなったために負けたのならばしょうがないんで、もって瞑すだと思っていました。国民もこのことに気付き始めたのではないでしょうか。

・・・・・・・・・・・・・・・・・・・・・・・・・・・・・・・・・・・

## Re：私の選挙の投票に対する姿勢

From：間　　孝行　Category：自公連立　日付：13 Jan 2000

お返事をいただき、ありがとうございました。

白川先生は、一昨年の参議院選挙の投票率が高かったとおっしゃいましたが、考えようによっては、それまでの国政選挙の投票率が低かった、と思います。しかも投票率は下がる一方……。これまでの40％台の選挙、政令指定都市のひどいところでは30％台かそれ以下、という方がもっと異常です。一般に、投票率が低いと、組織力の強い共産党や創価学会（公明党）、建設業界などが有利になるといわれます。特に地方選挙では、その三つのうち二つを取れば勝ちといわれます。しかしそれでは、一般の人には意味がなくなってしまいます。意味がないから選挙に行かないし、政治を信じない。政府も信じない。こうして、選挙制度の崩壊、果ては社会の崩壊へとつながっていく……。自公連立は、その“社会の崩壊”を象徴しているものなのでしょうか。空恐ろしい。

白川先生の自治大臣当時の投票時間延長の決断で、「投票率が上がり、自民党が負けた」と言っている人は、国民に「投票に“行かない”でくれ」と言っているようなもので、許されない発言だと思います。逆に、白川先生の決断こそ、国民の政治への関心を呼び戻してくれただけでなく、投票率の低下による“選挙制度の崩壊”の危機を救った大英断です。しかもそれは、締切午後６時→午後８時という“たった２時間”の時間延長と、不在者投票の条件緩和によって実現したのです。すべての政治に携わる人には、その点をもっと評価してほしいと思います。（新潟県第６区）新潟県津南町：間　　孝行

## 成人の日

From：中原　Category：自公連立　日付：11 Jan 2000

匿名の投稿をしないという約束事を守らなかったため前回の投稿を削除されたました。申し訳ありません。同じものを再度投稿させて頂きます。この掲示板と関連するいくつかのホームペイジを見て、改めて国民の間には、創価学会・公明党の政権参加に、大きな反発があることを知りました。どこかの掲示板で２０—３０代がきちんと投票行動をとれば公明党は国会から消えるんだぞとの指摘がありました。私もそう思います。実際、これまでの国政選挙では低投票率が決まって公明党の「躍進」をもたらしてきました。地方議会での公明党の計算されたような高位当選は多くの人が見ていることです。これも低い投票率ゆえです。前回参議院選挙では例外的に投票率が高まりその結果、得票数で公明党は共産党にまで抜かれました。２０—３０代が危機感を持って、きちんと投票行動を取り創価学会・公明党の権力への参加に対して明確に拒否の意思表示をして欲しいと強く願っています。私の周囲でもすでに周到な総選挙準備を創価学会は積み重ねております。この選挙で投票率が低くなると、自自公で評判の悪い自民は後退し、公明が「躍進」することは疑いありません。創価学会内には外部の常識的批判・危惧感が極めて届きにくいからです。その結果、相対的に公明の影響力が政権内で強まり、それは公明のデージンの増加につながります．権力の象徴とも言える警察を所掌する国務、法務、教育・研究の文部、そして名誉会長のお好きな外遊の便宜を図るべく外務デージンのポストを要求するでしょう。利権の建設、農水も望むかもしれません。創価学会の謀略体質が権力と密着したらと思うだけで鳥肌が立つのは私だけではないと思います。自由であるべき教育研究の場での創価学会批判には文部大臣が直接圧力を加えるかもしれません。そうはならないようにと白川先生のご健闘に熱い願いを込めて期待をしています。頑張ってください。そして繰り返しますが２０—３０代の奮起をお願いしたいと思っています。

・・・・・・・・・・・・・・・・・・・・・・・・・・・・・・・・・・・・

## Re：成人の日

From：白川　勝彦　Category：自公連立　日付：12 Jan 2000

成人の日にちなんだすばらしいメッセイジ、ありがとうございました。私も政治に関心を持つようになって３５年位任なりますが、選挙の大切さが強調されてきましたものの、選挙によって政権基盤が変わるということは余りありませんでした。それがはじめて起こったのが、平成５年の総選挙でした。平成８年の総選挙、私は自由民主党の総務局長としてこの選挙に臨みましたが、この選挙にわが党が負ければ我々は再び野党になると思って必死になって戦いました。そうした緊張を持って戦った結果、２３９議席獲得したのです。だから、再び政権を担当することができたのです。今度だって同じことなんです。その緊張感が、今のわが党の執行部にはないような気がします。あるいは負けても、自自公３党で過半数をとれば小渕内閣が続けられると思っているのかもしれません。しかし、それは選挙をなめ、国民を愚弄していると思います。しかし、そのように思っている人が現にいるんですから、しっかりと注意しないといけません。若いみなさん、中原さんの言葉しっかりとかみ締めてください。

---

## 事態の骨太な基軸を見つめよ

From：衆議院議員・経済人類学者　栗本慎一郎　Category：自公連立　日付：13 Jan 2000

白川先生のサイトの骨太な時代に対する提起の中味に感激しています. 自公連立は憲法違反だという提起は、まともな法律家（これが以外に少ない！）、未来の歴史家、宗教学者からは「そんなもの当たり前じゃないか」といわれる種類のものです. さらにその自公密月がなぜアメリカの日本支配欲の中から起きてきているのかについての分析は不肖、私のサイト、http://www.homopants.com から読み取ってください. なお、このＢＢＳを読むと、いかにも創価学会常套手段の嫌がらせが見られるようです. 骨太のこのサイトに対して本筋に明らかに関係のない「山崎某を知ってるだろう」とか、「自分が工作班じゃなかったらどうしてくれるんや」といった、本筋から中傷へを狙うものや金大中を拉致したあと北朝鮮が国会で質問する日本の国会議員に投げつけた脅迫みたいなものが見られます. 片山某、下川某なる人たちです. これは、Ｗｅｂマスターの権限で拒絶削除することをお勧めします. 私は、ディベートの主唱者でしたが、わざと論点をずらす発言、関係ない私的なイメージダウンを狙った発言はディベートの原則として議長が抑止、撤回をすべきものと定められています. 創価学会員は、自分がもし宗教者だと自称するなら、人、金、票集め以外に仏法や人の生き方、を真摯に皆で学んではいない（と宗教学者はみています）事態をよく反省すべきではないでしょう。・・なお、この私の意見について筋をずらした反論等には答えないからよろしく.

・・・・・・・・・・・・・・・・・・・・・・・・・・・・・・・・

## Re：事態の骨太な基軸を見つめよ（質問です）m（-）mペコリ

From：溝口浩（日蓮宗@波木井坊竜尊）　Category：自公連立　日付：14 Jan 2000

始めまして。

先生のホームページを拝見させて頂きました。素晴らしいできですね。ウイットにも富んでいて楽しくみさせて頂きました。

さて先生のオピニオンの中に”自立を放棄し、米国の支配勢力に追随する道を選んだ小渕内閣を断罪す”というのがございます。ここで質問させて頂きたいのですが、

アメリカという国はプロテクタントが多く、国民が持つ宗教的エトスや職業倫理などはマックスウエーバーが指摘する通りであると思います。かえりみて日本の国民がもつエトス、宗教的ナショナリズムも含めて、アメリカは日本に対してどのような支配方法を考えているか、アメリカの支配階級の人達が日本をどうしようと考えているか前から疑問に思っておりました。

西洋的なモノの考えに立脚すると、その国民をどう支配していくか、ヨーローッパですとやはりキリスト教です。道徳や倫理、法律、慣習、職業倫理が宗教によって規定されます。

日本の場合、神道は教義がありません。教義が無くとも宗教としての資質に問題はありませんが近代国家の求心的作用も持つには、問題が多いと思います。

戦前の場合、ヘーゲル的な立憲君主制ももとずく民族国家（論）の概念で国家を論ずる潮流は主流を占めておりましたが、ヘーゲル的な民族国家の概念は彼のプロイセン的な憧れを元にしたヘーゲルの幻想でしかないと私は考えております。つまり理想であって現実にはそぐわないものだと思います。今までの日本はこの幻影の国家（論）の上で成り立っていたと思いますし、これを捨てねば、新しい日本民族の国家は確立できないのではないかと私は考えております。

アメリカが……。仮に、日本を支配しようと考えた時に、日本人にどのような宗教的エトス・宗教的ナショナリズムを選んでほしいか。台湾が最近その実験を始めております。国民党の蒋政府は、ダライラマと歴史的和解をし、観音

教という仏教を広めております。大陸の共産主義イデオロギー汚染に対抗するには宗教的ナショナリズムがもっとも効果があると判断したのだと私は思います。

日本はどうでしょうか？日本には多くの大乗仏教宗派があります。その中で「国家鎮護の仏教」と「宗教的ナショナリズム」を合わせ持った宗教が主流となり日本に定着されるのでは、と私は考えております。

そこで問題となるのは、ＳＧＩ（創価学会）をアメリカの支配勢力がどう受けとめているか、どう評価しているかが、私は問題となると考えております。

先生はどうお考えでしょうか？

長くなりまして申し訳ありません。よろしく御願い申し上げます。

・・・・・・・・・・・・・・・・・・・・・・・・・・・・・・・・・・

## Re：事態の骨太な基軸を見つめよ（質問です）…

From：衆議院議員・経済人類学者　栗本慎一郎　Category：自公連立　日付：14 Jan 2000

竜尊様お答えしますが，白川さんのサイトで栗本慎一郎研究会にならぬよう手短に……。ヘーゲルの国家論，民族観は，ドイツに根付いた「市民」論を纏め上げたものと考えてよいでしょう。そこでは市民と共同体が意識的に相互に包括し合うような状態が想定されています。わが日本のように，そこに住んでいれば住んでいれば立派な「市民」だというものではないのです。では，日本のような共同体は，成員はいかなるアイデンティティを基幹とするのか。それが，広い意味では宗教的でもある禁忌を基盤にした共同幻想である，と吉本隆明は言います。「正しい」と私は考えています。

ところで，アメリカはこういう日本（のみならずどこの国に対しても）精神的に支配しようなどとしていません。かつては考えましたが，今世紀後半に放棄・・。ただ，株式市場や金融システムから巨額の「上納金」をとろうとしているだけです。長銀の処理で既にそれがありましたね。

そのアメリカ支配層は，創価学会を基本的にはカルトだと見ています。ただ，アメリカでもっと評判の悪い統一教会に比べると、仏教だし正式な政権に入っている党を作っているし，かの明石などを使って国連に寄付したりして眼でモデレートをしているので様子を見ているというところです。宗教学者は，仏教系カルトと考える傾向が強いようです。ま，カルトですよね。

・・・・・・・・・・・・・・・・・・・・・・・・・・・・・・・・・・

## Re：事態の骨太な基軸を見つめよ（質問です）…

From：溝口浩（日蓮宗@波木井坊竜尊　Category：自公連立　日付：16 Jan 2000

栗本慎一郎先生、先生のような御高名な御方に御返事を頂きまして誠に光栄であります。私のつたない文章をお読み頂き申し訳ありません。

＜白川さんのサイトで栗本慎一郎研究会にならぬよう手短に……。＞了解致しました。

＜そこに住んでいれば住んでいれば立派な「市民」だというものではないのです。＞共同体の概念……。それを構成する固の自律性や個々の強調性、義務と責任……。そういうことを言っておられるのだと思いますがいかがでしょうか。

＜そのアメリカ支配層は，創価学会を基本的にはカルトだと見ています。ただ，アメリカでもっと評判の悪い統一教会に比べると、仏教だし正式な政権に入っている党を作っているし，かの明石などを使って国連に寄付したりして眼でモデレートをしているので様子を見ているというところです。宗教学者は，仏教系カルトと考える傾向が強いようです。ま，カルトですよね。＞

なぜこういう質問をしたかといいますと、創価学会のロビイストがワシントンにさかんに出入りしている……。というお話を以前に、さるお方から聞いたことがあるからであります。なにかしらの政治的アプローチがアメリカ支配層に対して行われているのではないか、と推測される動きだからです。

マックスウエーバーの論文、宗教社会学の「インド教と仏教」では１３世紀の初頭の日本において西洋におけるプロテスタンテイズムの職業倫理に匹敵するようなエトスを持った大衆宗教が存在している、と指摘しております。マックスウエーバーは「親鸞とルター」を比較対象として研究したようであります。これからの日本において作られる新しい共同体の幻影とエトスを与えられるのは宗教以外にはない、と考えておりますが、その研究は日本では進んではおらないようであります。

今後ともご指導、ご鞭撻のほどよろしく御願い申し上げます。m（-）mペコリ

---

## アメリカから応援します

From：小山田　洋子　Category：自公連立　日付：13 Jan 2000

私ＮＹ在住の日本国籍、米国労働Ｖｉｓａ（０－１）で仕事をしております。

こちらのＷｅｂを見つけて早速後援会に参加したいと思っております。創価学会という巨大な権力に立ち向かえる勇気、そして情熱を陰ながら応援してお

ります。

私もこちらに１２年ほど暮らしておりますが今回の自自公連立に関しては大変憤慨です。営利団体にのし上がっている創価学会を黙認してこれ以上日本人の感性が歪められてしまうのが悲しいです。

なぜ、自分の組織も謙虚に省みない団体が（アメリカではカルトだと噂は大きく広がりつつある）日本中で権力を伸ばしてるけるのか本当に悲しかったところでした。

頑張ってくださいね。私の実家は横浜ですけれど思いっきり応援致します。日本の政界において正義を感じられる先生をようやく見つけました。

・・・・・・・・・・・・・・・・・・・・・・・・・・・・・・・・・

## Re：アメリカから応援します

From：白川　勝彦　Category：その他　日付：19 Jan 2000
小山田さんからは,いつも海外の貴重な情報を頂きまして感謝いたしております。私がいつも問題にしているのは,支配―被支配の実態なのです。そういう問題を事実に即して考えなければならないと思っています。ぜひ,今後とも私たちの知らない海外の情報を知らせてください。

## 創価学会の攻撃パターン

From：野田　Category：自公連立　日付：14 Jan 2000
創価学会の白川先生に対する、攻撃のパターンは１)「自民党は自自公を容認しているのに、反対しているお前はなんで自民党に留まっているのか」２)「前科者山崎正友とつき合っているのはおかしい」３)「白川の憲法論は少数意見だ」というものです。
１）は、自由民主党という党は、いろいろな政見の人が自由に発言できるという伝統を持った党です。公明党のように、池田批判をしたら即除名というような党こそ異常なのです。２）山崎正友氏は、創価学会に仕掛けられた恐喝罪を「冤罪」と主張しており、その言動は一貫しています。刑務所に行ったことのある人間とつきあうな、などというのは「差別」であり「人権侵害」です。人権団体を名乗る創価学会のするべきことではありません。３）については、白川先生は、現実に「自自公」政権といった状況下において、憲法第２０条の解釈を具体的に深めたものです。今の段階で、全憲法学者が、改めてこの条項を議論すれば、従来と違った見解も出るでしょう。そして、国民の大多数は、白川先生の説を支持しているはずです。その根拠に、人気絶頂だった小渕政権は、「自自公」となったとたん、大幅に支持率を下げつづけているではありませんか。憲法は、国民のものであり、国民をはなれたところで抽象的な「定説」など存在しないのです。まして、創価学会・公明党に都合のよい我田引水、手前ミソな解釈論など「定説」「多数説」というのはおこがましいことです。

## Re：創価学会の攻撃パターン

From：白川　勝彦　Category：自公連立　日付：15 Jan 2000

極めて明快な分析・反論、よくわかりました。憲法論について若干私の意見を申し上げます。私もそれこそありとあらゆる教科書や論文を読みましとが、宗教団体に事実上支配される政党が政権を取った場合を想定した論述は、どこにもありませんでした。内閣法制局長官の答弁もそうした事実関係を前提としたものではありません。従って、この問題にアプローチするためには二つのことを同時に考察しなければならないのです。第一は、問題の政党と宗教団体との支配—被支配の関係があるかどうかという事実関係です。第二は、そうした場合における憲法解釈です。この両面から論述したものは残念ながらありませんでした。この両面を考察しながらまとめたものが、私のメーン論文と再反論のインタビューです。あえて付言させていただきました。

## 自由民主党を支持してきた宗教団体について

From：宮島　孝之　Category：その他　日付：16 Jan 2000

白川先生はじめまして、私は長年自由民主党を支持してきているものです。私は、最近朝日新聞の特集記事のなかで自民党を支持してきた宗教団体が選挙区によっては民主党の候補を支持しようという動きがあるという内容のものでした。私は思うのですが、長年にわたって自民党を支持してきてくれた宗教団体の皆さんの支持を裏切ってまで自自公連立政権を創る意味があるのでしょうか、また、小選挙区制の中でこのような支持団体の支持を受けられずに自民党は選挙に勝てるのでしょうか。ものすごく心配です。

## Re：自由民主党を支持してきた宗教団体について

From：白川　勝彦　Category：自公連立　日付：19 Jan 2000

この２～３日,四月会に関する記事が新聞などに多くなってきたことに気が付きませんか。私たちは,これらの団体との信義をまず貫かなければならないと思っています.自由民主党は,第一に保守政党なんですから。それから,政党も政治家も,自分の言ったことには責任を持たなければならないと思っています。いずれにせよ,あなたのおっしゃる通りです。

## 感動，日本を救える確かな政治家に会えた。

From：佐藤富夫　Category：自公連立　日付：19 Jan 2000

日本国民の大多数が、[創価学会・公明党]の政教一致ともとれる宗教党の政権参加に危惧する日本の今日。「政教分離を貫く白川勝彦代議士を励ます会」が新潟県上越市で開催されたので参加させていただきました。政治評論家の大御所また「四月会」代表幹事　俵孝太郎先生主催によるものでしたが、久々に真の政治についての講演でした。池田大作氏に操られている、創価学会員はもとより２５年間も公明党の委員長として操られてきた竹入委員長がバッサリ切り捨てられた独裁手法、今日に至っては自民党主脳人までが操られている政治の裏表、背筋がゾットする貴重な講演を聞かさせていただきました。そのような中、日本の将来を考え宗教の政権介入を阻止すべくひたすらに自由を守り抜く白川代議士を紹介され、体中に熱き感動を覚えました。

過去の白川先生の出版物等で主義主張は熟知していましたが、生の迫力ある主張・言動は日本を救える確かな政治家と確信いたしました。白川代議士自身、大変厳しい苦しい政治環境の中を日本国民の自由を守る為に、また確かなる日本の方向を導くために我々が白川代議士にできる事は何か、と考えさせられました。「９人兄姉の中に創価学会の信者が２人います。その身内に苦脳の思いをさせてもやらなければならないことはやらなければならない。それが白川の政治生命だから。そんな白川だからこれまで皆さんから信頼いただけたのではないでしょうか」キラリと潤む目に熱きものを感じました。どうか同志のみなさん、政教分離を貫く白川勝彦代議士を一生懸命応援し、自由で民主的な日本を作りましょう。

## その会に出席参加したかったですよ。

From：瀬戸　大雄　Category：自公連立　日付：19 Jan 2000

新潟の皆さんは恵まれていますね。うらやましいです。何人かの方が１月１８日に開催された集会に参加され、白川代議士をはじめとする同志の話を聞いたという書き込みを読んで、自分も是非聞きたかったと、少し悔しい思いです。もし、テープや公演記録があれば教えて下さい。前にも書いたように私は地方議員を経験した経験上、公明党の色々な実態を見聞きしました。定見も節操もない、そして目先の大衆受けしか視野にない彼らが、このまま政権に関わり続けることを許してはいけないと思います。自分たちの利益（それも一部の幹部の）のためなら、一夜にして態度を反転させ、しかもそれが末端の学会員にまで行き渡るという怖さは、想像を超えるものです。私は、自民党支持者ですが、次の総選挙は自民党が大敗し、民主党を中心とする政権が誕生することを願っています。そうなれば民主党は、一旦自民党と手を結んだ公明党と連立を組むことはないので、公明党は下野するしかないからです。自民党幹部の言う「自自公３党で過半数なら国民の支持を得たことになる」などという基準は、情けなくて聞く気にもなれません。政党たるもの、常に過半数を制して自らの掲げた政策を実現するために選挙を戦うべきはずです。かつての自民党指導者が社会党などに対してよく言っていたではありませんか。悲しいことに現状の自民党にそれを求めるのは無理のように思います。熱烈な自民党支持者の私も、自民党よりも国の将来のほうが大事です。一度下野して頭を打ったはずなのに、それ以上の過ちを活かしている自民党に猛省を促したい。それができないなら、再び野に下るしか道はないのでしょう。白川代議士の政治姿勢には「私」を感じません。役職や地元への利益誘導にばかりこだわる次元の低い政治家とは、明らかに違います。自分のことよりも国のことを考える数少ない政治家を支援する輪広げていきましょう。

## Re：その会に出席参加したかったですよ。

From：白川　勝彦　Category：自公連立　日付：23 Jan 2000

瀬戸さんのように長年自由民主党を支持されてきた方にこういうことをいわれることが一番つらいのです。しかし、自由民主党は全部が全部腐っているわけではありませんからね。自由民主党の国会議員の半数以上は、心の中では自自公は本当はおかしいと思っているんです。しかし、自由民主党は日本の社会の縮図ですから、上がそういうと弱いんです。これを変えるためにこうして頑張っているんです。私の他にもそうした活動をしている人はいるんです。近いうちにその姿を必ずお見せします。こうした動きが始まれば党内の状況は急速に変わります。その一番苦しいところが今なんです。どうか、私たちをしっかりと応援してくださいね。

---

## 集会のお礼

From：白川　勝彦　Category：その他　日付：19 Jan 2000

１月１８日の集会についてのメッセージたくさんありがとうございました。個々にコメントはしませんがお許しください。自自公をどうしていくのか単なる憲法論ではすまなくなってきました。政治そのものになってきました。私にとっては,望むところです。これから,自自公の政治論的批判を徒然草に適宜発表してゆきます。どうぞ、ご覧ください。

---

## 報道自由？とは何か。マスコミも支配されているのか

From：上越市　Y・霜鳥　Category：その他　日付：20 Jan 2000

１／１８政教分離を貫く白川氏を励ます会に参加して今日になって腹立たしく感じたことがあるので一言、言わしてもらいたい。白川代議士の主義主張は大変納得します。また創価学会の会員の何も知らなく独裁者に支配される中で、「創価学会批判の白川はこの世のものでない」と指導され、また信じている会員の哀れみも痛いほど感じる。ただ私の言いたいことは「報道の自由」とか言いながら真の報道、公平の報道がなされていない事に怒りを感じたことです。これほど創価学会支配の公明党に政権参画で不安と恐怖を感じている現況を新聞、週刊誌はほとんど記事にしない。白川代議士も声を大にしてこのことを唱えていたが、昨日も今日もマスコミは無関心。ということは創価学会員しか購入しない、あの馬鹿でかい新聞宣伝の出版物の広告宣伝費？　各社で毎日刷る政教新聞等の印刷費？　報道の自由とか何とかで、書く記事は自由かもしれないが、創価学会にマスコミまでが支配されていることに、真の怒りを覚えた。このことを読者の人が知らないのが恐怖・・・・

## Re：報道自由？とは何か。マスコミも支配されて…

From：白川　勝彦　Category：自公連立　日付：23 Jan 2000

自社さ連立をやったときは、新聞を中心にこの連立の是非が相当なされなした。当時マスコミは、反自民でしたから大半は批判的なものでしたが。しかし、論評があったことはまだよっかたと思います。私は、いろんなところで反論し、最後は自社さ連立は国民に相当理解され、支持もされました。自自公連立に関しては、気味が悪いくらい批判や論評がないのです。よくマスコミに登場する政治評論家や学者ほどこの問題についてコメントがあいまいだと思いますよ。自由民主党でさえ、金縛りになっているんです。新聞がとくに創価学会＝公明党には弱いんです。現場の記者が記事を上げてもなかなか採用されないので、最後は創価学会や公明党に批判的な記事は書いても仕方ない気持ちになってしまうんだそうです。テレビなどの場合は、電話などの抗議や嫌がらせがドッとくるんだそうです。だから、やりたくなくなるんだそうです。分からないでもないんですが、ここが踏ん張り所だといいたいですね。報道の公共性ということをあれだけ主張しているんですから。

---

## なぜマスコミは、黙っているのか！

From：中尾　Category：自公連立　日付：21 Jan 2000

公明党、創価学会の諸問題に関してマスコミの対応が全く少ないと思います。何を恐れているのか私も、インターネットで知る事の方が多いです。たとえば、池田大作の強姦事件（今裁判になっている）など日本の大新聞など全く取り上げていなくて外国のマスコミが外電で世界に報道してしまったのをみて慌てて日本で報道すると言った具合である。大阪の横山知事のセクハラ問題等ならだいだい的に報道するくせにこの問題等は今でも全く報道されていませんこの事件などは横山元知事のセクハラ事件よりももっと大事件であります。創価学会はいつものごとくでっちあげだと言っていますが、そうは思いません、一人の女性が恥を忍んで事件を公にし訴えたのは、相当の勇気有る覚悟だったと思いますそれだけに真実です。公明党と創価学会とは聖教一致一体で今までの事件から考えると政権に入るとほんとに怖いことになります。東村山市のように、公明党の批判をしていた女性議員が変死しこれの真相を解明しようとして警察に相談したがその警察官が創価学会員でさらに検察に相談したら検察官も創価学会員だったと言われている事件も裁判中でマスコミでほとんど報道出されていない。東村山市に見られるような事が、自自公政権内閣に入ってしまうと国政レベルにまで及ぶのを恐れる。公明党は、政教一致問題で鬼の首を取ったように内閣法制局の国会答弁を持ち出し合憲と主張しているが自分の都合の良いところだけ取り上げて居るのであります。 絶対に自自公政権を認めてはいけません。

・・・・・・・・・・・・・・・・・・・・・・・・・・・・・・・・・・

## Re：なぜマスコミは、黙っているのか！

From：白川　勝彦　Category：自公連立　日付：23 Jan 2000
　霜鳥氏へのコメントを参照して下さい。

---

## 高鳥代議士白川代議士合同大新年会に参加して

From：佐藤　Category：その他政治　日付：23 Jan 2000
　高鳥代議士　勲一等旭日大綬章の受賞祝賀会及び・高鳥・白川後援会の恒例新年会に参加しました。身動き出来ないほどの大盛況。会費３０００円持って立食、1500名位？　熱気,熱気.次期衆議院選の白川代議士の小選挙区必勝期して高鳥代議士とガッチリ握手。２１世紀を託す政治家を新潟６区から。会費負けしたが、白川代議士の必勝期してガンバロー　大盛況，大盛況，良かった，良かった……

・・・・・・・・・・・・・・・・・・・・・・・・・・・・・・・・・・

## Re：高鳥代議士白川代議士合同大新年会に参加して

From：白川　勝彦　Category：自公連立　日付：26 Jan 2000
　みなさんの協力で、新井・頚南会場―５００名、十日町会場―１３００名、上越・頚北・頚中・東頸城会場―１２００名の方々からご参集をいただき、所期の成果を果たすことができたと心強くおもっています。ありがとうございました。

---

## 未来の希望を失わせる政治家達を、この国の政界から追放

From：中垣良子　Category：自公連立　日付：25 Jan 2000

党大会での小渕首相あいさつ、そして野中広務氏の地方での発言等を聞いて、本当にがっかりしました。この程度の人達に、この国の政治をゆだねるしかない現状を悲しく思います。「参議院で数が足りないから、公明党を抱き込む」という考え方は、政党の生命である思想や理念、根本政策などどうでもよく、ただ目先の数合わせがすべてに優先するという唯物的、刹那主義的な考え方です。こうした指導者達の無節操が、青少年達の「心」や「理念」に対する尊敬心を失わせ、荒廃させる原因ではないでしょうか。赤字国債もさることながら、日本民族のほこりや精神をふみにじり、未来の希望を失わせる政治家達を、この国の政界から追放しなくては、２１世紀は拓けないと思います。

・・・・・・・・・・・・・・・・・・・・・・・・・・・・・・・・・・・

## Re：未来の希望を失わせる政治家達を、この国の…

From：白川　勝彦　Category：自公連立　日付：26 Jan 2000

あまりに直裁すぎるごいけんで、コメントしかねますね。参議院で数がないというのならば、平成元年以降はどうなんでしょうか。あまり説得力がありませんよね。まあ、「自自公連立の政治論的批判」を読んでください。

---

## 池田大作と創価学会の公明党をつかっての天下取り政権参画は、「憲法違反」そのもの

From：山岡一朗　Category：自公連立　日付：25 Jan 2000

信教の自由と政教分離についての解釈論議を興味深く拝見いたしております。私は、白川先生の解釈論が一番筋が通っていると思います。そして、白川先生の解釈論を「少数派」などというのは、見当はずれの難クセです。今、「創価学会が全面的に支配する公明党が、政権にかかわることが、政教分離の原則にふれるかどうか」と具体的に問われた時、国民の大多数が、学者の多くが、「問題あり」と答えるでしょう。まして、「国会議員が憲法を論ずるべきでない」とか「憲法は国家権力を拘束するだけで私人は拘束されない」などというのは愚論もはなはだしい。今、国会に「憲法調査会」ができたのも、憲法について論ずるためであるし、憲法第２０条は、「いかなる宗教団体も国から特権を受け、又は政治上の権力を行使してはならない」と、宗教団体に対する命令形で規定されているではありませんか。法治国家では、法体系は憲法を中心に成

り立っており、国民は、これを守る義務があります。池田大作と創価学会が、公明党をつかって「天下取り」をたくらみ、政権に参画していることは、「憲法違反」そのものなのです。

・・・・・・・・・・・・・・・・・・・・・・・・・・・・・・・・・

### Re：池田大作と創価学会の公明党をつかっての天…

From：白川　勝彦　Category：自公連立　日付：26 Jan 2000

あたたかいはげましのご意見ありがとうございます。「いかなる宗教団体も、政治上の権力を行使してはならない。」という条文の議論が、私と創価学会＝公明党しかしていないのは、なぜか考えていただきたいのです。ちなみに、ご指摘の憲法調査会の委員に私はなりました。いずれこの場で、しっかりと議論してみたいと思っております。

---

## 他人に害を加えながら、被害者を装うのは、池田大作創価学会の得意技

From：佐貫修一　Category：自公連立　日付：25 Jan 2000

最近、当ホームページに「創価学会批判は、弱い学会員に対するイジメだ」などという意見がよせられています。しかし、数１００万の勢力をもっている「日本最大の宗教団体」「政権与党を支配する団体」が弱者などというのは、妄想以外の何ものでもありません。白川先生の意見は「創価学会の支配する公明党が政権に入ることは憲法違反である」ということであって、個々の学会員に対する中傷攻撃など全くされていません。学会では、「もう、だれも創価学会には、手をだせない」と豪語しています。そして、脱会者や批判者に対して、「気が狂うまで責めて責めて、責め抜け！！」と指示しているのです。暴力団対策法が、暴力団に対するイジメでしょうか。オウム対策法がオウムに対するイジメと言えるでしょうか。創価学会は、自分達の権利や人権はけたたましく主張するが、他人のそれは、ふみにじっても平気です。弱いものイジメは創価学会の十八番なのです。今、聖教新聞等でくりひろげられている「山崎攻撃」こそ、弱いものイジメ典型ではないでしょうか。他人に害を加えながら、被害者を装うのは、池田大作創価学会の得意技です。学会員の身分を隠し「支持者」を装いながら情報かく乱を行うのも、これまた創価学会の得意技です。創価学会は当ホームページにも、いろいろな謀略を仕掛けているようです。

・・・・・・・・・・・・・・・・・・・・・・・・・・・・・・・・

## Re：他人に害を加えながら、被害者を装うのは、…

From：白川　勝彦　Category：自公連立　日付：26 Jan 2000

佐貫さんには、いつも適切なご意見をいただきありがとうございます。「他人に害を加えながら、被害者を装う」という表現は、さすが！！！　こんどの私の論文を読んでください。一国一城の主といわれる天下の代議士の現状が書いてあります。決してこれ、誇張ではありませんからね。それにもかかわらず、確かに私のところにも、白川は善良で真面目なか弱い創価学会員をいじめている、というキャンペーンを始めているという情報が入ってきております。たいしたもんです。これからも、気が付いたことがありましたら教えてください。

---

## 織田信長と政教分離

From：南波　隆　Category：その他　日付：27 Jan 2000

ここ５００年程の歴史を省みて、何故非白人非欧米民族の中で日本人だけが近代化に成功したとお思いですか？これへの要因の最大の象徴的な出来事が１５７１年に日本でありました。少々粗っぽい言い方に成りますが、日本の近代化への最大の貢献者は織田信長と考えます。１５７１年に信長の比叡山焼き討ちがありました、歴史の中のこの一事で、政教分離が徹底し、日本の近代化の基礎が出来あがったものと考えられます。欧米の場合は宗教改革からプロテスタントへの自己改革でした。日本は比叡山焼き討ちの悲劇を経たからと考えられます。

であるのに、今の自自公連立は織田信長の日本民族への歴史的貢献を無にしてしまうばかりか、又しても将来の余計な悲劇を呼ぶ可能性を増します。宗教者は政治の場では自ずと自己抑制か合理的精神を持つべきです。創価学会と公明党は宗教者の原点に戻るべきなのです。

小渕自民党も大原則から逸脱して合理精神を失い日本民族を５００年前に戻してしまう愚を避けて欲しいものです。頑張ってください。

・・・・・・・・・・・・・・・・・・・・・・・・・・・・・・・・

## Re：織田信長と政教分離

From：白川　勝彦　Category：自公連立　日付：30 Jan 2000

織田信長は、私が一番好きな武将です。そんな関係で信長ものはかなり読んだつもりですが、南波さんのような指摘は初めてで、たいへん参考になります。私もちょっと勉強してみたいと思います。だれか、南波さんの見解について意見があったら言ってみてくれくれませんか。

---

## 私の意見

From：石原　武司　Category：自公連立　日付：27 Jan 2000
はじめてメールさせていただきます。私は、神奈川県に住む３１歳になる司法試験受験生です。白川さんの政治姿勢を拝見させていただくにつけ、同感の限りです。宗教勢力を直接バックにする政党が、政権に参加することは、どのように考えても憲法２０条違反であろうといえます。戦後日本政治の一つの美点は、完全に政教分離原則を実現してきたことで、これは欧米にも見られないものと考えています。政治と宗教が一体化したときの弊害の大きさは、私たち日本人にとって、戦前の歴史を振り返れば、明白です。そのようなことを二度と繰り返さないためにも、政教分離を徹底させていくことが必要であるとの白川さんの立場を、応援していきたいと思います。私は、特に、自民党を支持しているわけではありません。しかし、自（自）公連立の現状にあって、内心を表に出して正論を吐く政治家は多くありません。今後ともがんばってください。

---

## 他県ですが、応援します。

From：塙　栄治　Category：自公連立　日付：27 Jan 2000
私は創価学会に昭和37年入信し、昭和46年頃迄熱心な信心活動をして来ました。あの時学会は戸田会長の姿勢を無視し続けて居たことは本当に不思議に感じて居ました。以後小選挙区制は悪法であるから学会男子青年部が10万人国会議事堂前に集結して阻止するんだ、とのことで真剣に国の為なら命を投げ出す覚悟をしました。今青年の一念心を思い出しますと本当に国を憂い、社会悪と戦う気持ちは素晴らしく純粋で、全く戦地で殉死する気持ちと一緒でした。その時は池田会長の指導を信じていました。以来全てあの時言った言葉とは正反対に向かって居ます。政教一致はあの当時から事実として全ての会員は認識しており、質問にはあやふやに嘘を言って誤魔化して居りました。その当時から内部では男女関係はひどかったし、それを知った時幹部に通告してもうやむやでした。まだまだありますが次の機会として、私は他県に住して居りますが議員の後援会になれるのでしょうか。もしなれなくとも絶対応援します。家族４人共成人です。頑張って自自公阻止して下さい。将来の国を真剣に思って居られる白川議員を心より応援致します、身体お大事に頑張って下さい。と言う私は身体障害を持って居りますが、議員の御活躍を見届ける迄は頑張ります。

## Re：他県ですが、応援します。

From：白川　勝彦　Category：自公連立　日付：30 Jan 2000

　こころ温まるご声援、本当にありがとうございます。文面から察すると６０－６５歳なのでしょうか。おそれいります。私は、国会議員ですから選挙区はもちろんオール日本に責任を持っていると考えております。したがって、他県であっても私を応援してくださる方がいるということはたいへんうれしいことです。オール日本の後援会もありますから、どうぞ、ご入会ください。

## 公明党と創価学会についてに私の意見

From：外山　和栄　Category：自公連立　日付：27 Jan 2000

　小生は、北海道在住の４７歳の男性です。敬愛の意味を込めまして、以下、白川さんとお呼びいたします。（国会議員を、先生と呼ぶ言い方は、好きにはなれません。）それはさておき、主題の件に入ります。ホームページを拝見致しました。学会と公明党は、憲法違反です。与野党の国会議員は、（共産党を除いて？）学会票欲しさに、真正面からの議論を避けているのだと思います。又それが、学会＝公明党の狙いでもあると思うのですが、小学生でもわかる事が、大の大人がその事について、テレビ等で、議論を交わしているのを、見聞すると何か空しさを感じます。そう言う方の殆どは、学会ウイルスに冒されていると言っても過言ではないでしょう。それが又、我が日本の危機と感じている人々は、国会議員は、どのくらいいるのでしょうか？たった一人の暗黒の人間に、日本が支配されつつあるのではないでしょうか。公明党は、平和の党。福祉の党とか言っていますが、これは真っ赤な嘘だと思います。学会＝池田の単なる組織防衛の団体でしかないのです。マスコミなどでは、学会のことを支持母体と言っていますが、国語的に、これは間違いで、正しくは、指示母体、又は私事母体といいます。現に全国の新聞社の中には、学会などからの印刷等を請け負っており、真正面から正せなくなっているのでしょう。これはペンを棄てたのに等しい行為です。(学会らしいずる賢いやり方ですが)暗黒からの命令に、ただ盲従し、盲進する信者や公明党の国会議員や地方議会議員たち。これらの人々は、今まで自分の口でものを言ったことがあるでしょうか？池田の野望は、日の丸を、あのおどろおどろしい学会の三色旗にし、目指すは、北朝鮮、ヒットラーのドイツ、スターリンのロシア等です。言論の自由などもちろんありません。陰口を言っただけでも即命を奪われるでしょう。現に命は奪わないまでもそれに等しい行為は現在も続いているのではないでしょうか。 白川さん。身の危険を感じることもあるかもしれませんが、お身体には、充分お気を付けて、これからも益々ご活躍されますことを祈念いたします。選挙区は違いますが遠くより応援しています

・・・・・・・・・・・・・・・・・・・・・・・・・・・・・・・・・・・・・

## Re：公明党と創価学会についてに私の意見

From：白川　勝彦　Category：自公連立　日付：30 Jan 2000

外山さん。温かいまた力強い激励ありがとうございます。思想および良心の自由（憲法１９条)、信教の自由（憲法２０条）を守ることは、自由主義者の絶対の使命と考えています。自自公連立に対しては、私は不惜身命です。命を懸けてでも戦わなければならないと思っております。政治家は、どんなことでもそうですが、票を考えて行動してはならないと思っておりますが、国民の自由がかかっている問題で票のことを考えるようでは断じてならないと思います。私だけではなく、このように考えている人はかなりいますから、そんなに絶望しないで下さい。そして、そのような政治家を励ましてください。応援して下さい。正論は最後は必ず勝ちます。そう思って、ひたすらに努力する――そうでなくては希望はないじゃないですか、

---

## 政教分離

From：中尾　Category：自公連立　日付：28 Jan 2000

政教一致で施設を使用する宗教団体に課税をすべきで有ります。無税になっているのはおかしい。野中広務・現幹事長代理。九三年十月の衆院予算委で――。「公明党の選挙は創価学会の施設を全面的に活用している」「ここにファ

クスがある。創価学会の会館から選挙支援活動のポイントとして送られたものだ」「全国の会館施設が選挙の出陣式や決起集会に使われている。選挙のたびに、創価学会青年部の人が会館に裏選対事務所をかまえ、二十四時間体制で選挙をとりしきっている」「口では政教分離をいいながら、本日の答弁を通じてはまったく政教一体である」

その野中氏がいま、自自公連立の推進役。そして政権入り前後の公明新聞は「学会の会館などが公明党支援の場として使われること」は、「何ら法に触れるものではありません」（九九年九月二日付）、「仮に公明党が、直接的であれ間接的であれ、一つの宗教団体に支配されていたとしても、…政権に参加したとしても、それ自体は憲法的には全然、問題はない」（同十一月三日付）と開き直るまでになっています。

## Re：政教分離

From：白川　勝彦　Category：自公連立　日付：30 Jan 2000

中尾さんからは、いつも貴重なご意見をいただきありがとうございます。そうですか、そんなことまでいってますか。しかし、政治上の権力を行使するとは、国や地方公共団体から委託を受けて裁判権・警察権・徴税権などを行使することであるという解釈をする創価学会＝公明党にとってはそういうことになるんでしょう。くわしくは、私の再反論を参照して下さい。

## 政教一致

From：山田聡　Category：自公連立　日付：29 Jan 2000

白川先生の論文を読ませていただきました。現在、公明党が言っている「公明党の政治参加は政教一致ではない」との見解は一般論でしかない旨の主張は、まさに正論だと思います。公明党の議員が池田大作名誉会長の認知なくしてなれないことは、多くの脱会者が言っていることですし、さらに、国会の場で、池田大作氏の国会喚問と引き替えに重要法案が通ってしまった事例など、多数あります。もちろん、そのような取り引きを持ちかけた政権与党も問題ですが、池田氏を守るために自らの政策を度外視して取り引きに応じた公明党の方がなお問題です。このようなことは、単に公明党だけの決定でできようハズがなく、後ろに池田大作氏が控えていることは、誰の目にも明らかです。これなどは、国民の大事な国会が池田の保身のために利用されているといってもいいのではないでしょうか。「政教一致」を論ずるならば、こうした実態を調査し、現実に即した論義をすべきではないかと思います。

・・・・・・・・・・・・・・・・・・・・・・・・・・・・・・・・・・・

## Re：政教一致

From：白川　勝彦　Category：自公連立　日付：30 Jan 2000

創価学会＝公明党問題・政教分離問題を論ずる場合に大切なことは、一つは厳密な法律論、もうひとつは緻密な事実論だと思います。そのどちらもないというわが国の言論界の不思議な現象。このＷｅｂサイトが少しでも役立てばと思ってガンバっているところです。活発なご意見を待ってます。

---

## 「書込交流ＢＢＳ」を「書込交流広場」に変更するにあたって

From：白川　勝彦　Category：その他　日付：30 Jan 2000

アクセス１００００を期に、さらにより多くの皆さんにアクセスしていたくためにＨＰの構成・デザインを変えようというなかで、これまでの「書込交流ＢＢＳ］を「書込交流広場」と変えることにしました。その理由は、このことを議論したとき５人いたのですが、私が「ところで、ＢＢＳって一体どういう意味だい？」と聞いたところだれも知らなかったからです。そこで、私は、若い人も知らないのならばこの際変えたほうがいいと思い変えることを指示したのです。そうしたところ、Ｗｅｂマスターから次のようなメールが届きました。汗顔の至りです。この際、みなさまにも披露し参考に供したいと思います。この「書込交流広場」が、真のＢＢＳとなるためにこれからも宜しくお願いいたします。

『書込交流ＢＢＳのＢＢＳがよく解らないので掲示板に、ということですが、変更はやぶさかではないものの、その前に、なぜこの言葉で書いたかご説明申し上げます。

このようなシステムは、実はもともと日本では、ＢＢＳ（Bulletin Board System）という用語で普及したのです。曰く「草の根ＢＢＳ」。代表は大分「県」が設立した「コアラ」です。インターネットがまだまだ遥か未来のことのようだった頃、300bpsなどという遅い速度でコンピュータネットワークの世界が幕を明けました。大手商用ネットのアスキー設立などと前後し、日本全国に有志が立ち上げたネットが生まれました。これが日本のコンピュータ通信の夜明けだと言って良いでしょう。やがて、ＮＥＣのＰＣ-ＶＡＮと、富士通のＮｉｆｔｙの二つが牽引するようにこの動きは加速され、各新聞社主宰の商用ネットも生まれます。同時に、草の根ＢＢＳには全国各地、世界各国から割安の通話料で接続できるようにと、Ｖｅｎｕｓ-ＰやＴｒｉ-ＰといったＶＡＮサービス、データ通信接続サービスが誕生します。草の根ＢＢＳでもメジャーなところは、このＴｒｉ-Ｐに加入して会員を全国に広げました。新聞社系の草の根ＢＢＳなども、そうして普及しました。こうやってネチズン（ネット・シチズン）が時代と共に増え、パソコン通信という呼び名で認知されて行きます。特殊な病気の情報を交換するために医師や病院が設置したＢＢＳなど、相当数の有意義なＢＢＳが運用されていました。ネチズンが「ボードに書き込んでよ」といった言い方をすることがあるのですが、そのボードはＢＢＳのボードから来ています。インターネット寸前のネチズン人口は約140万人ほどだったように記憶しています。

やがて、時が移り変わってインターネットの時代となり、ＢＢＳとその接続便宜を提供するＶＡＮサービスが幕を閉じる時がきました。インターネットです。全国のアクセスポイントからＷＷＷをブラウズし、特定サイトに書き込みができる。ＢＢＳがより低コストで、多くの人々の交流広場になれる時がきたのです。こうした歴史から、今でもこうしたメッセージ交換システムを、パソコン通信の延長線上でＢＢＳと呼ぶわけです。コンピュータによらないBulletin Boardは、海外では広く日常生活に溶け込んでいて、アメリカのコインランドリーなど庶民が集う場所は必ず設置され、人々が売りたし買いたしなどの情報を掲示して行くのはご存知の通りです。広い意味で見れば、中国の壁新聞もこの一種でしょうし、古くは有史以前から、岩にメッセージを書き込んで情報交換したこともまた、Bulletin Boardにつながるのでしょう。

一方、日本にはリベラルなBulletin Boardは存在しなかったのかも知れません。それは、町内掲示板が示すように上意下達の通告版であり、商業主義の広告版です。必然的に面積が権利や金銭と結びつき、管理媒体としてのみ存在を許されることになってしまいます。行き場のなくなった情報は、無節操な電柱などの張り紙となり、景観や教育的環境などを足蹴にしてしまった、という側面もあるかも知れません。

さて、こういうわけで、コンピュータネットワークではＢＢＳというのはそれなりの歴史を持った用語なのです。140万人のＢＢＳ愛好家、コンピュータ通信先駆者を「パソコン通信オタク」と呼ぶのは簡単です。その角度から見れば，ＢＢＳは「誰も知らない」用語かも知れません。ですが、コンピュータという枠を外してみても、それはイコール海外で日常生活に深く溶け込んでいるコミュニケーション手段を示す言葉です。さらに、先生は郵政族でおられる。その先生がこうしたＢＢＳ、日本のコンピュータコミュニケーションの歴史をご存知ないままに、ＢＢＳという形容を外したのでは少々寂しい気がします。私としてはご存知で当然という姿勢からＢＢＳという用語を採用しましたし、それに何らの抵抗もありませんでした。先生の周囲でお伺いになってどなたもご存知ないということは、先生の周囲に、或いは永田町に、こうしたコンピュータコミュニケーションの世界が存在しなかったからでしょうし、また認知もなかったからでしょう。地方自治体の中でも突出している大分県がＢＢＳを公営した草分けであり、現在、そのコアラが公営ＩＳＰとして存続していることとは好対照だとも思えます。

前述のような背景を念頭において、ビギナーへのインターフェースとしての配慮の意味で、ホームページからはＢＢＳの文字を外します。が、co-Ｗｅｂの／ＢＢＳはそのままで良いと判断します。ネットワーカーたちは、先達が新参者を懇切丁寧に指導することでネチズン社会を広げてきました。こうしたシステムが既に存在するのが当然であるかのような風潮の中で、思いやりが薄れ、コンピュータを介していることでその向こうに人間がいることを忘れてしまったかのような言動が見られることは非常に寂しいことです。が、それは決して、コンピュータコミュニケーションだからそうなっているのではなく、広く社会現象であることに注目すべきでしょう。人としてのコミュニケーションが出来ないために機械と話す。携帯電話で話して完結し、会うために連絡を取り合うのではなくなっている。こうした日本だけに見られる風潮は、愛情を育むことなく援助交際で金銭対価にそれを置き換えてしまうような行為にも現れていると、京都造形芸術大学の野田正彰教授が語っておられます。（http://www.mainichi.co.jp/digital/mobile/archive/200001/25/1.html）

先達が後に続く者に知識を分け合い、そこでより豊かな、新しい情報システムを使ったコミュニケーション社会が熟成されて行くわけです。後に続く者に迎合してばかりで、そこに至る歴史を忘れたら、豊かさも半減ではありませんか。』

---

## 今の国会運営をどう見たら正しい？

From：Ｔ．ｓａｔｏ　Category：**その他政治**　日付：31 Jan 2000

野党抜きの首相施政方針演説また代表質問。これは正常ですか？　私も長年の自民党支持者ですが、小渕首相や森幹事長の強気な発言ちょっと気になります。自自公さえ結束していれば……政府は安泰？　あまり高飛車な行動や、公明党・自由党の操られ党になっている自民党執行部を心配しています。自由民主党の本来の姿で民主的で自由を守る行動で政局を進めていただきたいものです。暖冬といわれほとんど雪なし状態で楽観視していた新潟ですが一日にして１００Cmの降雪に見舞われ、厳しい地域です。永田町自民党も楽観していると国民の豪雪被害に遭うような気がしてなりません。みなさんどう思いますか。

・・・・・・・・・・・・・・・・・・・・・・・・・・・・・・・・・・・・

## Re：今の国会運営をどう見たら正しい？

From：白川　勝彦　Category：自公連立　日付：31 Jan 2000

今日も、自自公３党だけの寂しい本会議でました。明日もまたそうなるでしょう。双方言い分はあるでしょう。しかし、いずれにしても異常な事態です。こうなったら、解散・総選挙しかないと思っています。国民がどう判断するのか、私にも判りません。ただ、私の直感ですが自自公のすることは仮に正しいことであってもそう簡単には支持してもらえないのではないかと思っています。それが、信用なんです。「信なくば、立たず。」ということです。

---

## 一学生の意見

From：藤原　厚　Category：自公連立　日付：31 Jan 2000

私は、都内に住む学生です。私は、以前から学会批判急先鋒の白川議員の活躍を様々なメディアを通じて知っておりました。昨年朝まで生テレビを見て公明党の議員と一歩も退かず、論理的に堂々と討論している姿を見て、眠さを忘れ、最後まで見ました。私の父は大阪で開業医をしていますが、学会のある患者が聖教新聞取ってくれと頼んできて断っても配達します。それを見ますと新聞とは名ばかりの池田名誉会長がどこそこから勲章をもらったとか、名誉市民に選ばれたとかいったものばかりで朝から気分が悪くなります。また、父に聞くと選挙が近くなると学会の人が大勢来院して、公明党に入れてくれと言うそうです。私は、確かに信教の自由は尊重すべきものだとは思います。しかし、最近のカルト宗教が引き起こす事件を見ていると宗教の名を借りた集団の存在をもう一度見なおすべきだと思います。宗教法人が一切税制上の優遇を受ける制度もみなおすべきではないでしょうか？もうすぐ選挙になり、学会票目当てに学会よりの発言をする議員が増えてきていますが、それは結局学会票の数倍ある反学会票の分散になると思います。白川議員は学会の誹謗・中傷に負けずにこれまでどおりに国会議員の良識と自覚を貫いて欲しいと思います。

・・・・・・・・・・・・・・・・・・・・・・・・・・・・・・・・・・・・・・

## Re：一学生の意見

From：**白川　勝彦**　Category：**自公連立**　日付：10 Feb 2000

この旬日、無茶苦茶に忙しくて返信遅くなってごめんなさい。

いま、聖教新聞だか公明新聞だか知りませんが、私や俵さんの誹謗記事がいっぱい載っているんだそうです。私も人の子ですから、そういうものを見ると「気分」が悪くなりますから、いまでは、見ないことにしています。だって、あまりにも無内容で、為にする誹謗記事で、ひどすぎます。それに、おなじネタが、何度も何度も繰り返されるんです。読む必要もないんです。いくら忠実で無批判な創価学会の会員さんだって、これじゃ飽きると思うんですがね。

ただ、この数日ガンバっておられる片山氏の議論、これを前提にしているんですよね。だから、議論がかみ合わないんだと思います。いまの若い人は、私たちの時代と違って政治に関心が薄いといわれていますが貴兄の意見を見れば、そんなことないですよね。安心しました。

返信遅くなってすみません。気になっていたんです。

---

## 参議院のあり方

From：**匿名希望（佐藤）**　Category：**その他政治**　日付：01 Feb 2000

今日も参議院本会議で代表質問が野党抜きで行われています。まさに異常な状態で国会が進んでいるこの現状で、言葉悪く言えば権力闘争としての意味合いが強い衆議院の行き過ぎを抑制し、その機能を補完するのが本来参議院に期待される機能であると考えられますが、本日も参議院本会議場では衆議院と全く同じ政党関係で、全く同じ政党間の権力闘争がカーボンコピーのように繰り返されています。私は、わが国の参議院議員は、憲法の政治結社の自由等難しい問題はあるにせよ、非政党化をする事によって本来の二院制の機能が働くのではないと考えます。このままではどちらかの院が不要とは申しませんが、我が国も一院制の国会でよいのではないかとなりはしないかと心配です。

## 読後感

From：太田　昭博　Category：自公連立　日付：04 Feb 2000

「自自公連立の政治論的批判」読みました。新鮮な感銘を受けました。こうした主張の是非が堂々と議論されるようになれば、自民党も、自由にして民主的な政党足りうるのでしょうが、現実は、こうした根源的な問題を世に問おうとする政治家自体、少なくなってしまったのが実態なのでしょう。私自身「自民党が自民党らしさを失った」と痛感させられたのが、確か森さんが前に幹事長だった時だと思いますが、選挙の候補者当選後、他の党に移らないよう一筆を入れさせるという一件でした。大げさに言えば、思想・表現自由を保証した憲法の精神にも反する話で、そもそも政治家がどの政党に所属するかは本人の良心によってのみ決められる問題で、政党側は、自らの信ずる理念を堂々と提示することによって政治家を引き付ける責務があるはずです。それを放棄して紙一枚で政治家をつなぎ止めておこうなどという対応には、はっきり言って、開いた口がふさがりませんでした（その後、その対応がどうなったのか、残念ながらよくは存じませんが）。ただ、選挙で過半数に届かなかったはずなのに、いつの間にか過半数を回復しているということが起きる日本の政界ですから、少々のことで驚いていてはもたないのかも知れません。

白川先生のような論調が、大手マスコミからほとんどと言っていいほど聞かれないことにも危機感を感じています。未曾有の激動の中で、日本国民の意識のリシャッフルが今ほど求められている時代はないというのに、おそらくはマスコミや一部の政治家の意識が最も遅れてしまっているのではないかと危惧せざるを得ません。

この論文が、自民党にとどまらず、日本社会の前途に大きな警鐘を鳴らすものとなるよう、心から望んでやみません。続きを待っています。

## Re：読後感

From：白川　勝彦　Category：その他　日付：10 Feb 2000

長文の読後感、ありがとうございました。

いそがしいなか書いたものですので、必ずしも満足できないんですが一石を投ずる気持ちで認めました。それにしても「自自公現象」が、党や国会のあちこちで跋扈しております。ヒドイものです。しかし、そんなことはいいんです。

私が心配するのは自自公現象が、一般の社会でも始まることです。絶対にそれだけは阻止しなければなりません。国会の中で阻止できなければ、必ず急速にこれは伝播します。だから、頑張っているんです。そこのところをご理解いただければ幸いです。

---

## 「創価学会と公明党は同体異名」といったのは池田大作氏自身です。

From：神山一郎　Category：自公連立　日付：05 Feb 2000

創価学会は、創価大学や民音などの諸団体と同列に、公明党を支配・管理しているのです。そのことは、いまや周知の事実です。それを、否定してかかることは、白を黒というようなものです。今では多くの元学会幹部や公明党議員が口をそろえて、その事実を証言しているのです。創価学会自体、「分離」といってもピンとこないはずです。創価学会員の考えは、「創価学会と公明党が一体でなぜ悪い！！」というものです。私の知り合いの学会員は皆そういいます。「創価学会と公明党は同体異名」といったのは池田大作氏自身ではありませんか。その関係と、四月会と政治の関係を同列に論じるのはこっけいです

・・・・・・・・・・・・・・・・・・・・・・・・・・・・・・・・・・・

## Re：「創価学会と公明党は同体異名」といったの…

From：白川　勝彦　Category：自公連立　日付：10 Feb 2000

私もそう思っております。しかし，この事実を絶対みとめようとしないんですよね。「朝まで生テレビ」で，私は創価学会が公明党を，民音や葬儀社などと同列の外郭団体と扱っている創価学会の内部文書を示しました。それが嘘の文書だとの指摘や反論はまだありません。

しかし，その一方で最近，創価学会と公明党が一体でなぜいけないんだと言わんばかり感じのする論調も始まったような気がします。自自公連立による開き直りでしょうか。両面作戦に出たのかもしれません。要注意！要注意！！

---

## 大阪府、京都府の知事選に関して。

From：小山田洋子　Category：その他　日付：06 Feb 2000

自民党本部＋民主党＋自由党＋公明党＋改革クラブ推薦：共産党推薦の争いだけに写りました。共産党１党で戦って負けてなんだか可哀相になりました。

まさに数の暴力という感じで気持ち悪くなりました。選挙中に共産党の知事になったら、中央から予算が出なくて京都府は破産する、という演説もあったと言う。大騒ぎで戦っていた模様。

しかし、共産党に大阪、京都の知事選で勝ったと言って自自公が国民に認知されている！みたいな発言を耳にするかと思うと頭痛がしてきます。

野党に賛成する訳では無いですが、自民党にとって自自公政権は最悪、最低の企てですから。兎に角、一刻も早い解散、そして総選挙を望んでおります。

・・・・・・・・・・・・・・・・・・・・・・・・・・・・・・・・・・・

## Re： 大阪府、京都府の知事選に関して。

From： 白川　勝彦　Category： 自公連立　日付： 10 Feb 2000

小山田さん。ニューヨークは寒いですか。こちらは、暖冬ですね。

岡目八目とは、よくいったものですね。党執行部は，大阪と京都の選挙に勝って，鬼の首を取ったような感じでいます。しかし，おっしゃる通り共産党にやっと勝っただけのことなんですね。自民党もそこまで力がおちてしまったということでしょう。これは，極めて深刻なことだと思います。

この４年間，党の選挙の仕事をしてきた者として，いま一番不安なことは，６割近くの反自自公の有権者を相手にわが党は選挙ができるんだろうかということです。みんな簡単に考えすぎているんじゃないかと私は思っています。総選挙の相手は，共産党の支持率の少なくとも２―３倍の支持率のある民主党ですからね。

ところで、そちらの大統領選も徐々にもりあがってきましたね。また，お便りください。

**白川勝彦（しらかわ　かつひこ）**

1945（昭和20年）年6月22日生。68年司法試験に合格、69年東京大学法学部卒業。72年東京で弁護士となる。75年郷里の新潟に帰り政治活動を始める。79年衆議院議員初当選。以来当選6回。国土政務次官、郵政政務次官、自治大臣・国家公安委員長、衆議院商工委員長、自由民主党総務局長、同組織本部長代理・団体総局長などを歴任。
“戦うリベラル”が政治信条。与野党に幅広い友人をもつ政界きっての リベラリスト。座右の銘は「雲は龍に従う」。著書に『地方復権の政治思想』、『新憲法代議士』、『網の文明』、『戦うリベラル』などがある。

白川勝彦ホームページ・アドレス　**www.liberal-shirakawa.net**

**自自公を批判する**

2000年3月1日　初版第1刷発行
2000年3月8日　初版第2刷発行

著者 ―― 白川勝彦
発行者 ― 平田　勝
発行 ―― 花伝社
発売 ―― 共栄書房
〒101-0065　東京都千代田区西神田2-7-6 川合ビル
電話　03-3263-3813
FAX　03-3239-8272
E-mail　kadensha@muf.biglobe.ne.jp
振替 ―― 00140-6-59661
装幀 ―― 廣瀬　郁
印刷 ―― 中央精版印刷株式会社


ISBN4-7634-0352-4 C0031